《똑똑한 초등신문》으로

미리 보는
수능 어휘
일력 365⁺

책장속 편집부 저

책장속
BOOKS

똑똑한 초등신문으로
미리 보는 수능 어휘 일력 365+

초판 1쇄 발행	2025년 4월 5일
지은이	책장속 편집부
펴낸이	신호정
편집	임하연, 이미정
교열	김수민
마케팅	백혜연, 홍세영
디자인	이지숙
펴낸곳	(주)책장속북스
신고번호	제 2024-000027호
주소	서울시 송파구 양재대로 71길 16-28 원당빌딩 4층
대표번호	02)2088-2887
팩스	02)6008-9050
이메일	chaeg_jang@naver.com
인스타그램	@chaegjang_books
인쇄	삼공프린팅
ISBN	979-11-987214-7-1 (73710)

- 잘못된 책은 구입한 서점에서 바꾸어 드립니다.
- 이 책은 저작권법에 따라 보호받는 저작물이므로, 이 책 내용의 일부 또는 전부를 이용하려면 반드시 저작권자와 ㈜책장속북스의 서면 동의를 받아야 합니다.
- 책값은 뒤표지에 있습니다.

추천의 말

　이 책의 제목은 ≪미리 보는 수능 어휘≫지만, 숨겨진 이 책의 진짜 제목은 ≪똑초 독자들이라면 '이미' 알고 있는 수능 어휘 확장하기≫라고 생각합니다.

　어느 날 책장속북스 편집부로부터 연락을 받았어요. 최근 5년간 수능 국어 영역 독서 파트 어휘의 약 80%가 똑똑한 초등신문 지문에 이미 실려 있다고요. ≪똑똑한 초등신문≫을 집필하던 때, 제가 지문에 집중적으로 싣고자 한 어휘는 기사를 이해하려면 꼭 알아야 할 어휘, 맥락을 통해서라면 초등학생도 이해하고 습득할 수 있는 어휘들이었습니다. 그런데 그 어휘들 대다수가 수능 국어 영역 독서 파트 지문에 나왔다니요!

　그렇다면 이 어휘들을 그러모아 다시 상기하고, 또 요리조리 붙였다 떼었다 하면서 새로운 단어로 확장해 보면 큰 도움이 되겠다는 확신이 들었어요. 그러던 차에 책장속북스 편집부에서 이 모든 과정을 아우를 수 있는, 어휘 그물을 자연스럽게 펼쳐 나가게 도와주는 책을 만들어 주셨습니다.

　이 책은 수능 지문에 나온 어휘지만 초등학생이라면 이해할 수 있는, 꼭 알아 두어야 할 한자어를 알려 줍니다. 여기서 더 나아가 목표 어휘에 쓰인 개별 한자와 다른 한자가 결합돼 만들어진 다양한 한자어도 제시함으로써 폭넓은 어휘 세계로 아이들을 데려갑니다.

　아이들은 작은 언어적 자극에도 큰 변화와 성장을 일궈 나갈 수 있는 저력을 갖고 있습니다. 열두 달 후, 이 책의 마지막 장을 넘기는 그날에 깊고 넓어진 아이들의 어휘 세계를 발견하게 되리라 믿습니다.

신효원
어린이언어연구소 소장
≪똑똑한 초등신문≫시리즈 저자

초등신문 신드롬의 주역, 똑똑한 초등 시리즈를 완독하고 눈에 띄게 성장한 문해력을 확인하세요!

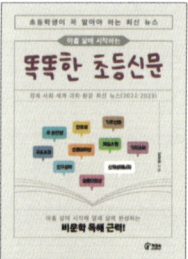

똑똑한 초등신문 1
2022-2023년 뉴스
어린이 비문학 도서 최초,
최장 베스트셀러 1위 기록

똑똑한 초등신문 2
2023-2024년 뉴스
심화 버전 기사 10편 추가
고급 어휘/표현 비교 학습

똑똑한 초등신문 3
2025년 편
출간 예정

똑똑한 역사신문 삼국 시대 편
과거와 현재를 잇는
최초의 어린이 역사신문

똑똑한 역사신문
고려 시대 편
출간 예정

똑똑한 역사신문
조선 시대 편
출간 예정

똑똑한 초등 글쓰기
글쓰기, 논술 학습에 특화된
텍스트 구조화 훈련
글쓰기 5-4-3 법칙

이 책의 특징 및 활용법 1

이 책은 어떻게 만들어졌나요?

15만 어린이가 재미있게 읽은 신효원 저자님의 ≪똑똑한 초등신문≫을 분석하는 과정에서 놀라운 사실을 발견했어요. 최근 5년간(2021-2025학년도) 수능 국어 영역 독서 파트 어휘의 약 80%가 이미 ≪똑똑한 초등신문≫에 실려 있다는 거예요.

이 사실이 의미하는 게 무엇일까요? 많은 어린이가 ≪똑똑한 초등신문≫의 문장을 통해 자연스럽게 '수능 어휘'를 익혔다는 것입니다. 그렇다면 이렇게 배운 어휘를 더 효과적으로 기억하고, 더 많은 어휘로 확장할 방법은 없을까요? 이 질문에 대한 끊임없는 연구 끝에 탄생한 것이 바로 ≪똑똑한 초등신문으로 미리 보는 수능 어휘 일력 365+≫입니다.

'수능 어휘'는 단순히 시험 대비만을 위한 것이 아닙니다. 수능에서 다뤄지는 어휘는 우리가 살아가면서 반드시 알아야 하는 필수 어휘이기 때문이에요. 따라서 지금부터 자연스럽게 익혀 두면, 평생 활용할 수 있는 강력한 언어 능력을 갖추게 됩니다.

어휘력은 곧 사고력입니다. 풍부한 어휘력으로 깊이 있게 사고하고 사려 깊게 표현할 수 있는 멋진 인재로 성장하길 바라는 마음을 담아 이 책을 만들었습니다.

초성으로 맞히는 어휘 퀴즈

12월 31일

다음은 어떤 어휘의 뜻일까요? 어휘를 직접 써 보세요.

16 사물이나 일이 생겨나다. ㅇㄹㅎㄷ _____
17 액체, 기체, 열 등이 흘러 들어옴. ㅇㅇ _____
18 무엇을 분명히 알고 이해함. ㅇㅅ _____
19 매우 크고 중요하게 여기다. ㅈㅅㅎㄷ _____
20 어떤 일이나 상태가 오래 계속되다. ㅈㅅㄷㄷ _____
21 어떤 목적이나 목표에 뜻을 두다. ㅈㅎㅎㄷ _____
22 삶의 이치와 옳고 그름을 잘 이해하고 판단하는 능력. ㅈㅎ _____

23 사정이나 형편 등을 어림잡아 생각함. ㅈㅈ _____
24 다른 것과의 관계나 접촉을 막거나 끊다. ㅊㄷㅎㄷ _____
25 목적을 이루기 위해 계속 따르며 구함. ㅊㄱ _____
26 값이나 가치, 등급 등이 떨어짐. ㅎㄹ _____
27 수량이나 범위 등이 제한되어 정해지다. ㅎㅈㄷㄷ _____
28 틀림없이 그러한지를 알아보거나 인정하다. ㅎㅇㅎㄷ _____
29 무너뜨리거나 깨뜨려 상하게 함. ㅎㅅ _____
30 사물이나 현상이 없어지거나 지나간 뒤에 남겨진 것. ㅎㅈ

_____

여러분이 지난 15일 동안 매일 하나씩 공부했던 어휘들을 다시 보면서 정답을 확인해 보세요.
어휘의 뜻을 다시 확인하고 되새겨 본다면 여러분의 어휘력은 무한하게 확장될 거예요.
가족이나 친구들과도 함께 퀴즈를 풀면서 재미있게 어휘력을 키워 보세요.

이 책의 특징 및 활용법 2

이 책은 어떤 책인가요?

이 책은 ≪똑똑한 초등신문≫ 속 문장을 통해 '수능 어휘'의 뜻을 쉽고 정확하게 이해하며, 한자어와 연결하여 효과적으로 어휘력을 확장하도록 돕는 책입니다.

1. 초등학생 수준에 맞는 어휘를 골랐어요.

이 책에 담긴 '수능 어휘'의 80%는 이미 ≪똑똑한 초등신문≫에서 사용된 어휘들이에요. 나머지 20%는 최근 5년간 수능 국어 지문에서 자주 등장한 단어 중 비슷한 난이도의 어휘를 선별했어요. 어려운 수능 지문이 아니라 ≪똑똑한 초등신문≫ 속 문장을 예문으로 활용하여, 초등학생이 어휘의 의미를 쉽게 이해할 수 있도록 구성했어요.

2. 한자를 함께 배우며 어휘력을 확장해요.

어휘의 한자 뜻을 알면 더 빠르고 효과적으로 많은 어휘들을 배우고 기억할 수 있어요. 이 책은 '수능 어휘'의 한자 뜻을 알려주고, 같은 한자가 포함된 다른 어휘까지 함께 학습할 수 있도록 도와줍니다. 그래서 한 번에 여러 어휘를 쉽고 자연스럽게 익힐 수 있어요. 이 책을 통해 341개의 수능 필수 어휘, 399개의 한자, 그리고 한자에서 나온 어휘까지 포함해 총 2,000개 이상의 어휘를 배울 수 있습니다.

3. 매일 볼 수 있는 일력 책이에요.

이 책은 공부할 때만 펼쳐보는 책이 아니에요. 매일 자연스럽게 어휘를 익히도록 만들어졌어요. 온 가족이 함께 어휘 맞히기 게임을 하거나, 배운 어휘로 문장을 만들어 보는 것도 좋아요. 그날 배운 어휘를 바로 사용해 보는 습관을 들이면 어휘력이 더욱 탄탄해질 거예요.

12월 30일

`21학년도 수능`

흔적 痕跡(迹) (흉터 흔, 자취 적)

1 사물이나 현상이 없어지거나 지나간 뒤에 남겨진 것.
 예) 스티커를 뗐지만 여전히 **흔적**이 있다.

> 프랑스 국립과학연구센터 연구팀이 2500년 전에 지어진 아마존 열대우림 속 고대 대도시의 **흔적**을 발견했어요.
>
> 출처: 『똑똑한 초등신문 2』 p.216

 어휘력 확장하기

흔 痕 흉터 흔

상흔 | 상처를 입은 자리에 남은 흔적.

적 跡 자취 적

유적 | 남아 있는 역사적인 자취.
추적 | 도망하는 사람을 따라가며 쫓음.
행적 | 어떤 행위를 한 뒤에 남긴 표시나 흔적.
잠적 | 갈 곳을 알리지 않은 채 흔적을 남기지 않고 사라짐.
궤적 | 물체가 움직이면서 남긴 자국.
기적 | 평범한 사람들의 지식이나 생각으로는 설명할 수 없을 만큼 이상하고 놀라운 일.

이 책의 특징 및 활용법 3

이 책은 어떻게 활용하면 좋을까요?

1. 어휘의 뜻과 예문을 이해해요.

먼저, 어휘의 사전적 정의를 읽어 보세요. 그다음, 예문을 읽으면서 어휘의 쓰임을 바르게 이해해요. ≪똑똑한 초등신문≫ 속 문장을 읽으면 어떤 상황에서 쓰이는지 정확하게 알 수 있을 거예요. 이런 과정을 통해서 어휘의 의미를 쉽게 파악하고 기억할 수 있어요.

2. 같은 한자가 들어간 어휘들을 함께 익혀요.

<어휘력 확장하기>에서는 같은 한자를 포함한 여러 어휘를 배울 수 있어요. 예를 들어 '확인하다'라는 어휘를 살펴보면 '확(確:굳을 확)'과 '인(認:알 인)'이라는 한자가 들어 있어요. 이를 활용하면 '확보', '확정', '정확', '인식', '인정', '승인' 등 다양한 어휘를 함께 익힐 수 있어요. 같은 한자를 쓰는 어휘들은 의미가 비슷한 경우가 많아 자연스럽게 더 많은 어휘를 쉽게 기억할 수 있답니다.

3. 가족이나 친구와 퀴즈 게임으로 복습해요.

이 책에 나오는 어휘와 예문을 활용해 퀴즈 게임을 하면 더욱 재미있고 효과적으로 배울 수 있어요. 예를 들어, '확인하다'의 뜻을 맞히는 퀴즈를 내거나, '확'과 '인'이 들어간 다른 어휘들을 맞혀 보는 거예요. '확' 자가 들어간 어휘에는 '확보', '확정', '정확', '확고하다' 등이 있어요. '인'이 들어간 어휘는 무엇이 있을까요? 여러분이 맞혀볼까요?

위의 세 가지 방법 외에도 다양한 활용법으로 여러분의 어휘력을 넓고 깊게 확장해 나가길 바랍니다.

12월 29일

훼손 毀損 (헐 훼, 덜 손)

1 무너뜨리거나 깨뜨려 상하게 함.
> 예) 꽃밭 **훼손**의 원인은 한 번에 몰린 관광객들 때문이다.

> 이에 대해 환경 운동가들은 원주민 거주지 파괴와 환경 **훼손**이 심각하다며 사업을 멈출 것을 요구해 왔어요.
>
> 출처: 『똑똑한 초등신문 2』 p.168

🔍 어휘력 확장하기

훼 毀 헐 훼

훼방 | 남을 해치려고 나쁘게 말함.
명예 훼손 | 다른 사람의 사회적 평가에 해를 끼쳐 손해를 입히는 일.

손 損 덜 손

손해 | 돈, 재산 등을 잃거나 정신적으로 해를 입음.
손상 | 어떤 물건이 깨지거나 상함.
손실 | 줄거나 잃어버려서 손해를 봄.
파손 | 깨어져 못 쓰게 됨. 또는 깨뜨려 못 쓰게 함.

1월

1. 가치관
2. 간과하다
3. 개념
4. 개인
5. 거론되다
6. 건설
7. 결과
8. 결정하다
9. 경쟁
10. 고려하다
11. 고유하다
12. 공격하다
13. 공상
14. 과정
15. 어휘 퀴즈
16. 교정하다
17. 구별하다
18. 규제하다
19. 근거
20. 기술
21. 기준
22. 논란
23. 능숙하다
24. 단서
25. 단순하다
26. 달성하다
27. 도입
28. 동원하다
29. 동일하다
30. 명예
31. 어휘 퀴즈

12월 28일

21학년도 수능

확인하다 確認 (굳을 확, 알 인)

1 틀림없이 그러한지를 알아보거나 인정하다.
   예) 준비물을 다 챙겼는지 여러 번 **확인**했다.

최근에는 인간형 로봇과 인간의 접촉 위안에 대한 실험도 진행되었는데요, 로봇과 손을 잡는 것만으로도 접촉 위안이 형성된다는 것을 **확인했어요.**

출처: 『똑똑한 초등신문 1』 p.59

어휘력 확장하기

확 確 굳을 확

확보 | 확실히 가지고 있음.
확정 | 확실하게 정함.
정확 | 바르고 확실함.
확고하다 | 태도나 상황 등이 확실하고 굳세다.

인 認 알 인

인식 | 무엇을 분명히 알고 이해함.
인정 | 어떤 것이 확실하다고 여기거나 받아들임.
부인 | 어떤 내용이나 사실을 인정하지 않음.
승인 | 어떤 일을 허락함.

1월 1일

25학년도 수능

가치관 價値觀 (값 가, 값 치, 볼 관)

1 사람이 어떤 것의 가치에 대해 가지는 태도나 판단의 기준.
예 올바른 **가치관**을 가져야 한다.

> 확증편향은 자신의 **가치관**, 기대, 신념, 판단이 옳다고 증명해주는 정보나, 자기에게 유리한 정보만 선택적으로 수집하고 자신의 주장에 반대되는 증거는 무시하는 경향의 인지 방식을 말해요.
> 출처: 『똑똑한 초등신문 2』 p.236

🔍 어휘력 확장하기

가 價 값 가

가격 | 물건의 가치를 돈으로 나타낸 것.
가치 | 값이나 귀중한 정도.
물가 | 물건이나 서비스의 평균적인 가격.

치 値 값 치

수치 | 계산한 결과로 얻은 값이나 수.
부가 가치 | 생산 과정을 거치면서 새로이 덧붙은 상품 가치.

관 觀 볼 관

관찰 | 사물이나 현상을 주의 깊게 자세히 살펴봄.

12월 27일

21학년도 수능

한정되다 限定 (한계 한, 정할 정)

1 수량이나 범위 등이 제한되어 정해지다.
   예 구매할 수 있는 빵의 개수는 인당 5개로 **한정**된다.

> 체리슈머는 체리피커(Cherry Picker)와 소비자(Consumer)가 합해져 만들어진 말인데요, **한정된** 자원 안에서 전략적으로 소비하는 실속형 소비자를 뜻해요.
>
> 출처: 『똑똑한 초등신문 1』 p.40

🔍 어휘력 확장하기

한 限 한계 한

무한 | 수나 양, 크기, 공간이나 시간의 끝이나 제한이 없음.
유한 | 일정한 한도나 한계가 있음.
제한 | 일정한 정도나 범위를 정하거나, 그 정도나 범위를 넘지 못하게 막음.
최대한 | 일정한 조건에서 가능한 한 가장 많이.

정 定 정할 정

정의 | 어떤 말이나 사물의 뜻을 명확히 밝혀 분명하게 정함. 또는 그 뜻.
정착 | 일정한 곳에 자리를 잡아 머물러 삶.
결정 | 무엇을 어떻게 하기로 분명하게 정함.
고정 | 한번 정한 내용을 변경하지 않음.

1월 2일

간과하다 看過 (볼 간, 지날 과)

25학년도 수능

1 큰 관심 없이 대강 보고 그냥 넘기다.
　예) 우리는 건강의 소중함을 **간과**하면 안 된다.

🔍 어휘력 확장하기

간　看 볼 간

간호사 | 병원에서 의사를 도와 환자를 돌보는 것이 직업인 사람.
간판 | 가게, 기관 등의 이름을 써서 사람들의 눈에 잘 띄게 걸거나 붙이는 판.

과　過 지날 과

과거 | 지나간 때.
과정 | 어떤 일이나 현상이 계속 진행되는 동안 혹은 그 사이에 일어난 일.
과로 | 몸이 힘들 정도로 지나치게 일함. 또는 그로 인한 심한 피로.
과소비 | 돈이나 물품 따위를 지나치게 많이 써서 없애는 일.
과속 | 자동차 등이 정해진 속도보다 지나치게 빠르게 달림. 또는 그 속도.
과식 | 음식을 지나치게 많이 먹음.
과다 | 수나 양이 지나치게 많거나 어떤 일을 많이 함.
과잉 | 수량이나 정도가 필요로 하는 것보다 지나치게 많아서 남음.
과보호 | 부모가 아이를 지나치게 감싸고 보호함.

12월 26일

21학년도 수능

하락 下落 (아래 하, 떨어질 락)

1. 값이나 가치, 등급 등이 떨어짐.
   예 집값 **하락**이 지속되고 있다.

> 베네수엘라는 석유가 풍부하게 매장된 덕분에 경제성장을 이루었지만, 정치인들의 부패와 석유 가격의 **하락**으로 현재 재정 파탄 상태에 이르렀어요.
>
> 출처: 『똑똑한 초등신문 2』 p.237

🔍 어휘력 확장하기

하 下 아래 하

하차 | 타고 있던 차에서 내림.
하류 | 강이나 내의 아래쪽 부분.
하교 | 수업을 마쳐 학교에서 집으로 돌아옴.

락(낙) 落 떨어질 락(낙)

낙엽 | 주로 가을에 나무에서 잎이 떨어지는 것.
낙제 | 진학이나 진급을 하지 못함.
낙후 | 기술, 문화, 생활 등이 일정한 기준에 미치지 못하고 뒤떨어짐.
몰락 | 재산을 잃거나 권력이 약해져서 보잘것없이 됨.
탈락 | 범위나 순위에 들지 못하고 떨어지거나 빠짐.

1월 3일

25학년도 수능

개념 概念 (대개 개, 생각할 념)

1 어떤 사물이나 현상에 대한 일반적인 지식.
  예 응용문제를 풀기 전에 기본 **개념**부터 학습해야 한다.

> 젊은 세대를 위한 종목을 추가했다는 것, 춤을 경기 종목에 포함해 스포츠 **개념**을 확대한 것, 그리고 길거리 문화를 존중하고 인정한 점 때문이죠.
>
> 출처: 『똑똑한 초등신문 2』 p.198

🔍 어휘력 확장하기

개 槪 대개 개

개요 | 전체 내용 중에서 주요 내용을 뽑아 간략히 정리한 것.
대개 | 거의 전부.

념(염) 念 생각할 념(염)

기념 | 훌륭한 인물이나 특별한 일 등을 잊지 않고 마음에 간직함.
신념 | 어떤 생각을 굳게 믿는 마음. 또는 그것을 이루려는 의지.
묵념 | 말없이 마음속으로 빎.
염려 | 앞으로 생길 일에 대해 불안해하고 걱정함. 또는 그런 걱정.

12월 25일

21학년도 수능

추구 追求 (쫓을 추, 구할 구)

1 목적을 이루기 위해 계속 따르며 구함.
- 예) 우리의 목적은 행복 **추구**에 있다.

원작을 훼손하지 않는 것이 중요할까요? 아니면 '편견과 차별 없는 세상을 위한 다양성 **추구**'라는 메시지 전달이 우선되어야 할까요? 이에 대한 논란은 앞으로도 계속될 것으로 보여요.

출처: 『똑똑한 초등신문 2』 p.211

🔍 어휘력 확장하기

추 追 쫓을 추

추가 | 나중에 더 보탬.
추억 | 지나간 일을 생각함. 또는 그런 생각이나 일.
추후 | 일이 지나간 얼마 뒤.

구 求 구할 구

구걸 | 남에게 돈이나 먹을 것, 물건 등을 대가 없이 달라고 함.
구직 | 일자리를 구함.
요구 | 필요하기니 받아야 할 것을 달라고 청함.

1월 4일

25학년도 수능

개인 個人 (낱 개, 사람 인)

1 어떤 단체나 조직을 이루는 한 사람 한 사람.
　예 **개인**의 이익을 위해 다른 사람에게 피해를 주면 안 된다.

독점이란 **개인**이나 단체가 혼자 생산과 시장을 지배해서 그 이익을 독차지하는 현상을 말해요.

출처: 『똑똑한 초등신문 2』 p.32

프랑스에서는 셰어런팅이 아동 **개인**의 사생활과 초상권을 침해한다고 보기 때문에 부모가 마음대로 자녀의 사진을 올리면 법적 처벌을 받을 수 있어요.

출처: 『똑똑한 초등신문 2』 p.60

🔍 어휘력 확장하기

개 個 낱 개

개별 | 하나씩 따로 떨어져 있는 상태.
개성 | 다른 것과 구별되는 고유의 특성.

인 人 사람 인

인간 | 생각을 하고 언어와, 도구를 사용하여 사회를 이루어 사는 존재.
인구 | 정해진 지역에 살고 있는 사람의 수.
인격 | 말이나 행동에 나타나는 한 사람의 전체적인 품격.
인류 | 전 세계의 모든 사람.

12월 24일

21학년도 수능

차단하다 遮斷 (막을 차, 끊을 단)

1 다른 것과의 관계나 접촉을 막거나 끊다.
   예) 인터넷 접속을 **차단**하다.

> 러시아군은 일부러 우크라이나 곡물 저장소를 공격해 공장을 파괴하거나 화물 검사를 이유로 곡물을 실은 우크라이나 배를 **차단하는** 등 운항을 방해하고 있어요.
>
> 출처: 『똑똑한 초등신문 1』 p.108

🔍 어휘력 확장하기

차 遮 막을 차

차광 | 햇빛이나 불빛이 밖으로 새거나 들어오지 않도록 막아서 가림.

단 斷 끊을 단

단절 | 서로 간의 관계를 끊음.
판단 | 논리나 기준에 따라 어떠한 것에 대한 생각을 정함.
중단 | 어떤 일을 중간에 멈추거나 그만둠.
단호하다 | 결심이나 태도, 입장 등이 흔들림이 없이 엄격하고 분명하다.
단발머리 | 귀밑에서 어깨선 정도까지 오는 짧은 머리.
단정하다 | 어떤 일에 대해 확실하다고 판단하고 결정하다.

1월 5일

25학년도 수능

거론되다   擧論 (들 거, 논의할 론)

1 어떤 것이 이야기의 주제나 문제로 논의되다.
> 예) 지난 회의에서 **거론**된 문제는 아직 해결되지 않았다.

스위프트를 연구하는 강의가 하버드대에서 열리고, 2024년 미국 대선에도 상당한 영향을 미칠 인물로 **거론되는** 테일러 스위프트. 그녀는 올해 과연 어떤 바람을 몰고 올까요?

출처: 『똑똑한 초등신문 2』 p.219

어휘력 확장하기

거   擧 들 거

선거 | 조직이나 집단에서 투표를 통해 대표자나 임원을 뽑음.
거동 | 몸을 움직임. 또는 그러한 태도나 행동.

론(논)   論 논의할 론(논)

논리 | 바르게 판단하고 이치에 맞게 생각하는 과정이나 원리.
논술 | 어떤 주제에 대한 의견을 논리에 맞게 말하거나 적음.
토론 | 어떤 문제에 대하여 여러 사람이 옳고 그름을 따지며 논의함.

12월 23일

21학년도 수능

짐작 斟酌 (짐작할 짐, 따를 작)

1 사정이나 형편 등을 어림잡아 생각함.
  예 그가 얼마나 힘들지 **짐작**조차 할 수 없었다.

그동안 **짐작**만 해왔던 눈물의 힘이 이제 과학적으로 증명되었다고 해요.

출처: 『똑똑한 초등신문 2』 p.148

🔍 어휘력 확장하기

짐 斟 짐작할 짐

눈짐작 | 크기나 수량, 상태 등을 눈으로 보아 대강 짐작하는 것.
어림짐작 | 대강 헤아려 짐작함.
지레짐작 | 어떤 일이 일어나기 전이나 어떤 때가 되기 전에 성급하게 미리 헤아림.

작 酌 따를 작

허튼수작 | 쓸데없이 함부로 하는 말이나 행동.

1월 6일

25학년도 수능

건설 建設 (세울 건, 베풀 설)

1 건물이나 시설을 새로 짓는 것.
   예 서울시는 도서관 **건설**을 계획하고 있다.

> 블루칼라는 작업 현장(제조업·광업·**건설**업 등)에서 일하는 노동자를 통틀어 나타내는 말이에요. 주로 청색 작업복을 입는 데서 생긴 말이에요.
>
> 출처: 『똑똑한 초등신문 2』 p.80

🔍 어휘력 확장하기

건 建 세울 건

건국 | 나라가 세워짐. 또는 나라를 세움.
건의 | 개인이나 단체가 의견이나 희망을 내놓음. 또는 그 의견이나 희망.
건물 | 사람이 살거나 일을 하거나 물건을 보관하기 위해 지은 구조물.

설 設 베풀 설

설문 | 조사하기 위해서 여러 사람에게 질문함. 또는 그러한 질문.
설명 | 어떤 것을 남에게 알기 쉽게 풀어 말함. 또는 그런 말.
설립 | 단체나 기관 등을 새로 만들어 세움.
시설 | 도구, 기계, 장치 등을 베풀어 설비함. 또는 그런 설비.

12월 22일

21학년도 수능

지혜 智慧 (지혜 지, 슬기로울 혜)

1 삶의 이치와 옳고 그름을 잘 이해하고 판단하는 능력.
- 예) 속담에서 조상들의 **지혜**를 볼 수 있다.

> 소비자 형편에 맞춘 작은 사치는 불황기를 극복해내는 생활의 **지혜**일 수도 있어요.
>
> 출처: 『똑똑한 초등신문 2』 p.47

어휘력 확장하기

지 智 지혜 지

지덕체 | 사람의 지식과 도덕, 신체를 아울러 이르는 말.
지략 | 문제를 날카롭게 분석하여 해결책을 세우는 능력.
기지 | 상황에 맞게 빠르고 현명하게 문제를 해결하는 지혜.
지혜롭다 | 사물의 이치와 옳고 그름을 잘 이해하는 능력이 있다.

혜 慧 슬기로울 혜

혜안 | 어떤 대상의 내용이나 본질을 잘 알고 판단하는 지혜와 능력.

1월 7일

25학년도 수능

결과 結果 (맺을 결, 열매 과)

1 어떤 일이나 과정이 끝난 후의 상태나 현상.
  예 시험 **결과**가 생각보다 좋지 않아 실망했다.

> 영국의 한 연구팀은 개가 스트레스를 받았을 때와 받지 않았을 때 나는 사람들의 땀 냄새 차이를 정확하게 알아냈다는 연구 **결과**를 발표했어요.
>
> 출처: 『똑똑한 초등신문 1』 p.140

🔍 어휘력 확장하기

결 結 맺을 결

결혼 | 남자와 여자가 법적으로 부부가 됨.
종결 | 일을 다 끝냄.

과 果 열매 과

과수원 | 사과나무나 배나무와 같은 과일나무를 많이 심어 놓은 밭.
사과 | 모양이 둥글고 붉으며 새콤하고 단맛이 나는 과일.
효과 | 어떠한 것을 하여 얻어지는 좋은 결과.
성과 | 어떤 일을 이루어 낸 결과.

12월 21일

지향하다 志向 (뜻 지, 향할 향)

21학년도 수능

1 어떤 목적이나 목표에 뜻을 두다.
　예) 우리는 현명한 해결을 **지향**한다.

> 식물로 제품을 만드는 비건 방식이 환영받고 있는데요, 이는 친환경과 가치소비를 **지향하는** MZ세대의 생각과 맞아떨어져 젊은 사람들로부터 관심을 받고 있어요.
>
> 출처: 『똑똑한 초등신문 1』 p.78

어휘력 확장하기

지 志 뜻 지

지원 | 어떤 조직에 들어가거나 일을 맡기를 원함.
지망 | 어떤 전공이나 직업 등을 갖기를 바람.
의지 | 어떤 일을 이루고자 하는 마음.
동지 | 뜻이나 목적이 서로 같은 사람.

향 向 향할 향

향상 | 실력, 수준, 기술 등이 더 나아짐. 또는 나아지게 함.
향후 | 이것의 바로 뒤에 이어져 오는 때나 차례.
방향 | 어떤 지점이나 방위를 향하는 쪽.
성향 | 성질에 따른 경향.

1월 8일

25학년도 수능

결정하다 決定 (결정할 결, 정할 정)

1 무엇을 어떻게 하기로 분명하게 정하다.
  예) 어떤 음식을 주문할지 아직 **결정**하지 못했다.

> 공화제는 국가의 최고 권력을 가진 군주가 나라의 중요한 일을 **결정하고** 시행하는 군주제와 대비되는 제도예요.
>
> 출처: 『똑똑한 초등신문 2』 p.236

🔍 어휘력 확장하기

결 決 결정할 결

결심 | 어떻게 하기로 굳게 마음을 정함. 또는 그런 마음.
결제 | 물건값이나 내어 줄 돈을 주고 거래를 끝냄.
결승 | 운동 경기에서 마지막 승부를 결정하는 것.
해결 | 사건이나 문제, 일 등을 잘 처리해 끝을 냄.

정 定 정할 정

정각 | 정해진 시각.
정기 | 기한이나 기간이 일정하게 정해져 있음. 또는 그 기한이나 기간.

12월 20일

21학년도 수능

지속되다 持續 (가질 지, 이을 속)

1 어떤 일이나 상태가 오래 계속되다.
  예) 감기로 무기력한 상태가 **지속**되고 있다.

> 경기침체와 오래 **지속된** 팬데믹으로 인해 경제적으로 평균에 있던 사람이 사라지는 것이죠.
>
> 출처: 『똑똑한 초등신문 1』 p.77

🔍 어휘력 확장하기

지 持 가질 지

유지 | 어떤 상태나 상황 등을 그대로 이어 나감.
소지 | 어떤 물건이나 자격을 가지고 있음.
소지품 | 가지고 있는 물건.
지구력 | 오랫동안 버티며 견디는 힘.

속 續 이을 속

속출 | 잇따라 나옴.
연속 | 끊이지 않고 계속 이어짐.
계속 | 끊이지 않고 이어 나감.
상속권 | 사람이 죽은 후에 그 사람의 재산을 넘겨받을 권리.

1월 9일

25학년도 수능

경쟁 競爭 (다툴 경, 다툴 쟁)

1 어떤 분야에서 이기거나 앞서려고 서로 겨룸.
  예 우리 팀이 **경쟁**에서 이겼다.

> 빅테크 회사들은 **경쟁**에서 살아남기 위해 AI 관련 투자를 늘리는 대신 일하던 직원들은 내보내고 있어요.
>
> 출처: 『똑똑한 초등신문 2』 p.80

🔍 어휘력 확장하기

경 競 다툴 경

경기 | 운동이나 기술 등의 능력을 서로 겨룸.
경매 | 사려는 사람이 많을 때 가장 비싼 값을 부르는 사람에게 물건을 파는 일.

쟁 爭 다툴 쟁

쟁취 | 바라는 것을 싸워서 얻어 냄.
전쟁 | 대립하는 나라나 민족이 군대와 무기를 사용하여 서로 싸움.
논쟁 | 생각이 다른 사람들이 자신의 생각이 옳다고 말이나 글로 다툼.

12월 19일

21학년도 수능

중시하다 重視 (무거울 중, 볼 시)

1 매우 크고 중요하게 여기다.
- 예 우리나라는 교육을 **중시**하는 경향이 있다.

민족주의는 민족의 독립과 통일을 가장 **중시하는** 사상을 말해요.

출처: 『똑똑한 초등신문 2』 p.237

🔍 어휘력 확장하기

중 重 무거울 중

중요 | 귀중하고 꼭 필요함.
중력 | 지구가 지구 위의 물체를 끌어당기는 힘.
체중 | 몸의 무게.
존중 | 의견이나 사람을 높이어 귀중하게 여김.

시 視 볼 시

시력 | 물체를 볼 수 있는 눈의 능력.
시야 | 눈으로 볼 수 있는 범위.
제시 | 무엇을 하고자 하는 생각을 말이나 글로 나타내어 보임.
시청률 | 텔레비전의 한 프로그램을 시청하는 사람들의 비율.

1월 10일

25학년도 수능

고려하다 考慮 (상고할 고, 생각할 려)

1 어떤 일을 하는 데 여러 가지 상황이나 조건을 신중하게 생각하다.
   예) 날씨를 고려해서 여행 일정을 결정했다.

> 과학 분야에서 젠더 편향 문제를 해결하고 공정한 과학 연구를 위해서는 성별 특성을 고려한 연구를 늘려나가야 해요.
>
> 출처: 『똑똑한 초등신문 2』 p.140

🔍 어휘력 확장하기

고 考 상고할 고

참고 | 살펴 생각하여 도움을 얻음.
고안 | 여러 가지 상황이나 조건을 신중하게 생각함.
사고력 | 어떤 것에 대해 깊이 생각하는 힘.

려 慮 생각할 려

무려 | 생각한 것보다 그 수나 양이 많게.
배려 | 관심을 가지고 보살펴 주거나 도와줌.

12월 18일

21학년도 수능

인식 認識 (알 인, 알 식)

1 무엇을 분명히 알고 이해함.
> 예 우리 반에, 나에 대한 좋은 **인식**이 퍼져 있다.

이처럼 한국에서도 디지털 환경에서 아동의 권리가 법으로 보장받을 수 있어야 한다는 **인식**이 커지고 있어요.

출처: 『똑똑한 초등신문 2』 p.61

어휘력 확장하기

인 認 알 인

인지 | 어떤 사실을 확실히 그렇다고 여겨서 앎.
인정 | 어떤 것이 확실하다고 여기거나 받아들임.
인증 | 어떠한 문서나 행위가 정당하게 이루어졌을 공적 기관이 증명함.
인지도 | 어떤 사람이나 물건, 지역, 국가 등을 알아보는 정도.

식 識 알 식

상식 | 사람들이 일반적으로 알아야 할 지식이나 판단력.
의식 | 정신이 깨어 있는 상태에서 무엇을 지각하거나 인식할 수 있는 기능.
지식 | 어떤 대상에 대하여 배우거나 직접 경험하여 알게 된 내용.
식견 | 보고 듣거나 배워서 얻은 지식.

1월 11일

25학년도 수능

고유하다 固有 (굳을 고, 있을 유)

1 본래부터 가지고 있어 특유하다.
예 한국의 **고유**한 문화가 해외에 알려졌다.

> 흔히 상상력은 인간만이 가진 **고유한** 능력이라고 여겨 왔는데요. 쥐들도 가보지 않은 곳, 존재하지 않는 물체를 상상할 수 있다는 연구 결과가 나왔어요.
>
> 출처: 『똑똑한 초등신문 2』 p.142

🔍 어휘력 확장하기

고 固 굳을 고

고정 | 한번 정한 내용을 변경하지 않음.
고집 | 자기의 생각이나 주장을 굽히지 않고 버팀.
고체 | 일정한 굳은 모양과 부피를 가지고 있어서 만지고 볼 수 있는 물질.
확고하다 | 태도나 상황 등이 확실하고 굳세다.

유 有 있을 유

유명 | 이름이 널리 알려져 있음.
유료 | 요금을 내게 되어 있음.
유망 | 앞으로 잘될 것 같은 희망이나 가능성이 있음.
소유 | 자기의 것으로 가지고 있음. 또는 가지고 있는 물건.

12월 17일

21학년도 수능

유입 流入 (흐를 유, 들 입)

1 액체, 기체, 열 등이 흘러 들어옴.
- 예 공장 폐수의 **유입**으로 강이 오염되었다.

> 유엔의 전 세계 외래 유해 생물종 실태 보고서에 따르면 동식물 멸종의 60%가 외래종 **유입**의 영향을 받았으며, 218종의 외래종이 1,200여 토종 생물종을 멸종시켰다고 했어요.
>
> 출처: 『똑똑한 초등신문 2』 p.174

🔍 어휘력 확장하기

유(류) 流 흐를 유(류)

유행 | 전염병이 널리 퍼짐.
유출 | 한곳에 모여 있던 것이 밖으로 흘러 나감. 또는 흘려 내보냄.
교류 | 문화나 사상 등이 서로 오감.
표류 | 물 위에 떠서 이리저리 흘러감.
유언비어 | 확실한 근거 없이 퍼진 소문.
유창하다 | 말을 하거나 글을 읽을 때 거침이 없다.

입 入 들 입

도입 | 지식, 기술, 물자 등을 들여옴.
개입 | 직접적인 관계가 없는 일에 끼어듦.

1월 12일

25학년도 수능

공격하다 攻擊 (칠 공, 부딪힐 격)

1. 전쟁에서 적을 치다.
   - 예 우리 군은 적군을 공격했다.
2. 다른 사람을 비난하거나 다른 의견에 반대하며 나서다.
   - 예 나쁜 댓글은 상대를 공격하는 것과 같다.

이러한 외래 동물들은 사람들을 공격할 수도 있고, 한국의 생태계에도 나쁜 영향을 미칠 가능성이 커요.

출처: 『똑똑한 초등신문 1』 p.198

🔍 어휘력 확장하기

공 攻 칠 공

공략 | (비유적으로) 여러 수단을 통해 적극적으로 목표를 달성함.
공방 | 서로 공격하고 방어함.
공세 | 적극적으로 공격하거나 행동하는 태도나 모습.
전공 | 전문적으로 연구하거나 공부하는 과목.
공격수 | 운동 경기에서 공격을 맡은 선수.

격 擊 부딪힐 격

격파 | 단단한 물체를 맨손이나 발, 머리로 쳐서 깨뜨림.

12월 16일

21학년도 수능

유래하다 由來 (말미암을 유, 올 래)

1 사물이나 일이 생겨나다.
 예) 이 단어는 속담에서 **유래**한 단어이다.

> '사하라'라는 이름은 '황야'라는 뜻을 지닌 아랍어 '사흐라(Sahra)'에서 **유래했어요**.
>
> 출처: 『똑똑한 초등신문 2』 p.238

🔍 어휘력 확장하기

유 由 말미암을 유

이유 | 어떠한 결과가 생기게 된 까닭이나 근거.
자유 | 무엇에 얽매이지 아니하고 자기의 생각과 의지대로 할 수 있는 상태.
사유 | 일의 까닭.

래(내) 來 올 래(내)

내일 | 오늘의 다음 날.
미래 | 앞으로 올 때.
거래 | 돈이나 물건을 주고받거나 사고팖.
초래 | 어떤 결과를 가져오게 함.

1월 13일

25학년도 수능

공상 空想 (빌 공, 생각 상)

1 실제로 있지 않거나 이루어질 가능성이 없는 일을 머릿속으로 생각하는 것.
  예 **공상**에 빠져서 잠을 자지 못했다.

🔍 어휘력 확장하기

공 空 빌 공

공짜 | 힘이나 노력, 돈을 들이지 않고 거저 얻은 것.
공책 | 줄이 쳐져 있거나 빈 종이로 매어 놓은 책.
공항 | 비행기가 내리고 뜨기 위한 시설이 마련된 장소.
공간 | 아무것도 없는 빈 곳이나 자리.
항공 | 비행기로 공중을 날아다님.

상 想 생각 상

상상 | 실제로 없는 것이나 경험하지 않은 것을 머릿속으로 그려 봄.
감상 | 어떤 일에 대하여 마음속에 일어나는 느낌이나 생각.
예상 | 앞으로 있을 일이나 상황을 짐작함. 또는 그런 내용.
환상 | 현실성이나 가능성이 없는 헛된 생각.
가상 | 사실이 아닌 것을 지어내어 사실처럼 생각함.

초성으로 맞히는 어휘 퀴즈

12월 15일

다음은 어떤 어휘의 뜻일까요? 어휘를 직접 써 보세요.

1. 아주 가깝게 마주 닿아 있다. 또는 그런 관계에 있다. ㅁㅈㅎㄷ _____

2. 어떤 사회나 조직이 번성하여 물질적으로 넉넉해짐. ㅂㅇ _____

3. 남에게 진 빚이나 받은 물건을 갚음. ㅂㅅ _____
4. 중요한 것이 잘 보호되어 그대로 남겨지다. ㅂㅈㄷㄷ _____
5. 모습을 제대로 갖추고 적극적으로 이루어지는 (것). ㅂㄱㅈ _____

6. 사회 활동을 어떠한 기준에 따라 나눈 범위나 부분 중의 하나. ㅂㅇ _____

7. 분수에 지나치는 값비싼 물품. ㅅㅊㅍ _____
8. 목적한 것을 이루다. ㅅㅊㅎㄷ _____
9. 성질에 따른 경향. ㅅㅎ _____
10. 써서 없앰. ㅅㅁ _____
11. 어떤 물건이 깨지거나 상함. ㅅㅅ _____
12. 상태나 정도가 매우 심하거나 절박하거나 중대하다. ㅅㄱㅎㄷ _____

13. 위험한 고비. 위험해서 아슬아슬한 순간. ㅇㄱ _____
14. 사람이나 물건을 원하는 방향이나 장소로 이끌다. ㅇㄷㅎㄷ _____

여러분이 지난 14일 동안 매일 하나씩 공부했던 어휘들을 다시 보면서 정답을 확인해 보세요.

1월 14일

25학년도 수능

과정 過程 (지날 과, 단위 정)

1 어떤 일이나 현상이 계속 진행되는 동안 혹은 그 사이에 일어난 일.
  예 선생님은 풀이 **과정**을 친절하게 설명해 주셨다.

어른들이 즐겨 마시는 커피, 어린이들이 즐겨 먹는 초콜릿의 원료인 원두와 카카오 열매를 얻는 **과정**에 대해서 생각해 본 적이 있나요? 이 **과정**에서 수많은 어린이들이 착취당하고 있다면 이것을 우리는 바른 **과정**이라고 볼 수 있을까요?

출처: 『똑똑한 초등신문 1』 p.38

🔍 어휘력 확장하기

과 過 지날 과

과로 | 몸이 힘들 정도로 지나치게 일을 하는 것. 또는 그로 인한 심한 피로.
통과 | 어떤 장소나 때를 거쳐서 지나감.
경과 | 시간이 지나감.
간과하다 | 큰 관심 없이 대강 보고 그냥 넘기다.

정 程 단위 정

일정 | 일정한 기간 동안 해야 할 일. 또는 할 일을 짜 놓은 계획.
여정 | 여행의 과정이나 일정.
음정 | 높이가 다른 두 음의 높낮이 차이.

12월 14일

21학년도 수능

유도하다 誘導 (꾈 유, 이끌 도)

1 사람이나 물건을 원하는 방향이나 장소로 이끌다.
　예 사회자는 청중의 관심을 **유도**하기 위해 질문을 던졌다.

> 이에 대해 전문가들은 보행자의 손짓은 운전자로 하여금 자연스럽게 브레이크 페달을 밟게 하는 넛지 효과를 **유도할** 수 있다고 해요.
>
> 　　　　　　　　　　　　　　　　　　출처: 『똑똑한 초등신문 2』 p.63

🔍 어휘력 확장하기

유 誘 꾈 유

유혹 | 마음이 쏠리거나 잘못된 행동을 하도록 꾐.
유발 | 어떤 것이 원인이 되어 다른 사건이나 현상을 일어나게 함.
유괴 | 돈 등을 요구할 목적으로, 주로 아이를 속여서 꾀어냄.
권유 | 어떤 것을 하라고 권함.

도 導 이끌 도

도입 | 지식, 기술, 물자 등을 들여옴.
선도 | 앞장서서 이끎.
교도소 | 죄를 지은 사람을 가두어 두고 관리하는 시설.
반도체 | 여러 상태에 따라 전기가 통하기도 하고 안 통하기도 하는 물질.

초성으로 맞히는 어휘 퀴즈

1월 15일

다음은 어떤 어휘의 뜻일까요? 어휘를 직접 써 보세요.

1. 사람이 어떤 것의 가치에 대해 가지는 태도나 판단의 기준. `ㄱㅊㄱ` _____

2. 큰 관심 없이 대강 보고 그냥 넘기다. `ㄱㄱㅎㄷ` _____
3. 어떤 사물이나 현상에 대한 일반적인 지식. `ㄱㄴ` _____
4. 어떤 단체나 조직을 이루는 한 사람 한 사람. `ㄱㅇ` _____
5. 어떤 것이 이야기의 주제나 문제로 논의되다. `ㄱㄹㄷㄷ` _____
6. 건물이나 시설을 새로 짓는 것. `ㄱㅅ` _____
7. 어떤 일이나 과정이 끝난 후의 상태나 현상. `ㄱㄱ` _____
8. 무엇을 어떻게 하기로 분명하게 정하다. `ㄱㅈㅎㄷ` _____
9. 어떤 분야에서 이기거나 앞서려고 서로 겨룸. `ㄱㅈ` _____
10. 어떤 일을 하는 데 여러 가지 상황이나 조건을 신중하게 생각하다. `ㄱㄹㅎㄷ` _____
11. 본래부터 가지고 있어 특유하다. `ㄱㅇㅎㄷ` _____
12. 전쟁에서 적을 치다. `ㄱㄱㅎㄷ` _____
13. 실제로 있지 않거나 이루어질 가능성이 없는 일을 머릿속으로 생각하는 것. `ㄱㅅ` _____
14. 어떤 일이나 현상이 계속 진행되는 동안 혹은 그 사이에 일어난 일. `ㄱㅈ` _____

여러분이 지난 14일 동안 매일 하나씩 공부했던 어휘들을 다시 보면서 정답을 확인해 보세요.
어휘의 뜻을 다시 확인하고 되새겨 본다면 여러분의 어휘력은 무한하게 확장될 거예요.
가족이나 친구들과도 함께 퀴즈를 풀면서 재미있게 어휘력을 키워 보세요.

12월 13일

21학년도 수능

위기 危機 (위태할 위, 틀 기)

1 위험한 고비. 위험해서 아슬아슬한 순간.
   예) 겨우 **위기**를 넘겼다.

> IMF 총재는 개발도상국 중 25%가 빚을 갚을 수 없는 상태에 처했으며, 이들의 **위기**를 그대로 두면 세계 경제에 부정적인 영향을 미칠 거라고 했어요.
>
> 출처: 『똑똑한 초등신문 1』 p.42

어휘력 확장하기

위 危 위태할 위

위험 | 해를 입거나 다칠 가능성이 있어 안전하지 못함. 또는 그런 상태.
안위 | 편안함과 위태로움.
위기감 | 위험한 상황에 있거나 위험이 닥쳐오고 있다는 생각이나 느낌.
위태롭다 | 상태가 마음을 놓을 수 없을 정도로 위험한 듯하다.

기 機 틀 기

기계 | 일정한 일을 하는 도구나 장치.
기능 | 어떤 역할이나 작용을 함. 또는 그런 역할이나 작용.
기회 | 어떤 일을 하기에 알맞은 시기나 경우.
계기 | 어떤 일이 일어나거나 결정되도록 하는 원인이나 기회.

1월 16일

25학년도 수능

교정하다 矯正 (바로잡을 교, 바를 정)

1 고르지 못하거나 틀어지거나 잘못된 것을 바로잡다.
  예) 삐뚤어진 치아를 **교정**하러 치과를 방문했다.

> 유전자 가위는 사람과 동식물 세포의 유전자를 **교정하는** 기술이에요.
>
> 출처: 『똑똑한 초등신문 2』 p.150

🔍 어휘력 확장하기

교 矯 바로잡을 교

교도소 | 죄를 지은 사람을 가두어 두고 관리하는 시설.
교도관 | 교도소에서 죄수들을 지도하고 관리하는 일을 하는 공무원.

정 正 바를 정

정답 | 어떤 문제나 질문에 대한 옳은 답.
정상 | 특별히 바뀌어 달라진 것이나 탈이 없이 제대로인 상태.
정확 | 바르고 확실함.
정식 | 절차를 갖춘 제대로의 격식이나 의식.
정직 | 마음에 거짓이나 꾸밈이 없고 바르고 곧음.
정당하다 | 이치에 맞아 올바르다.

12월 12일

21학년도 수능

심각하다 深刻 (깊을 심, 새길 각)

1 상태나 정도가 매우 심하거나 절박하거나 중대하다.
  예 지구 온난화는 모두가 관심 가져야 할 **심각**한 문제이다.

심각한 가뭄으로 파나마 운하의 강물이 바싹 말라버리는 바람에 어린이들이 크리스마스 선물도 제때 받을 수 없다는데요, 이게 어찌 된 일일까요?

출처: 『똑똑한 초등신문 2』 p.36

어휘력 확장하기

심 深 깊을 심

심화 | 정도나 단계가 깊어짐. 또는 깊어지게 함.
심야 | 아주 늦은 밤.
심호흡 | 배나 가슴으로 깊게 숨을 쉼.
심사숙고 | 어떤 일에 대해 깊이 생각함.

각 刻 새길 각

각인 | 글자나 그림을 새김. 또는 새겨진 글자나 그림.
부각 | 어떤 특징을 두드러지게 함.
지각 | 정해진 시각보다 늦게 출근하거나 등교함.
각박하다 | 인정이 없고 모질다.

1월 17일

25학년도 수능

구별하다 區別 (구역 구, 다를 별)

1 성질이나 종류에 따라 갈라놓다.
 예) 사과와 배는 쉽게 **구별**할 수 있다.

> 챗GPT는 사람과 **구별하기가** 어려울 정도로 자연스럽게 대화를 할 수 있다고 해요.
>
> 출처: 『똑똑한 초등신문 1』 p.166

어휘력 확장하기

구 區 구역 구

구분 | 어떤 기준에 따라 전체를 몇 개의 부분으로 나눔.
지역구 | 일정한 지역을 단위로 하여 정한 선거 구역.

별   다를 별

별명 | 이름과는 다르게 대상의 특징을 나타내도록 지어 부르는 이름.
별개 | 서로 달라 관련되는 것이 없음.
별도 | 원래의 것에 덧붙여 추가되거나 따로 마련된 것.
별일 | 드물고 이상한 일.
이별 | 오랫동안 만나지 못하게 떨어져 있거나 헤어짐.
차별 | 둘 이상을 차등을 두어 구별함.

12월 11일

21학년도 수능

손상 損傷 (덜 손, 상처 상)

1 어떤 물건이 깨지거나 상함.
   예) 아끼던 물건에 **손상**이 가고 말았다.

> 일회용 마스크의 주원료로 쓰이는 폴리프로필렌(PP)이 나노 플라스틱이 되어 폐에 **손상**을 일으킨다는 연구 결과가 나왔어요.
> 출처: 『똑똑한 초등신문 1』 p.216

🔍 어휘력 확장하기

손 損 덜 손

손해 | 돈, 재산 등을 잃거나 정신적으로 해를 입음.

상 傷 상처 상

상처 | 몸을 다쳐서 상한 자리.
상심 | 슬픔이나 걱정 등으로 마음 아파함.
부상 | 몸에 상처를 입음.
속상하다 | 일이 뜻대로 되지 않아 마음이 편하지 않고 괴롭다.

1월 18일

25학년도 수능

규제하다　規制 (법 규, 억제할 제)

1 규칙이나 법에 의하여 개인이나 단체의 활동을 제한하다.
　예) 우리 학교는 스마트폰을 가지고 등교하는 것을 규제한다.

> 아동·청소년의 스마트폰 사용을 가장 강하게 규제하는 나라, 대만에서는 2살 이하의 아기에게 스마트폰을 보여주면 207만 원의 벌금을 물려요.
>
> 출처: 『똑똑한 초등신문 2』 p.74

어휘력 확장하기

規 법 규

규칙 | 여러 사람이 지키도록 정해 놓은 법칙.
법규 | 법으로 정해져서 지키거나 따라야 할 규칙이나 규범.

制 억제할 제

제도 | 관습, 도덕, 법률 등의 규범이나 사회 구조의 체계.
제한 | 일정한 한도를 정하거나 그 한도를 넘지 못하게 막음.
억제 | 정도나 한도를 넘어서 나아가려는 것을 억눌러 멈추게 함.
통제 | 어떤 방침이나 목적에 따라 행위를 하지 못하게 막음.

12월 10일

21학년도 수능

소모 消耗 (꺼질 소, 빌 모)

1 써서 없앰.
  예) 고강도 운동은 체력 **소모**가 크다.

🔍 어휘력 확장하기

소 消 꺼질 소

소독 | 병에 걸리는 것을 막기 위해 약품이나 열 등으로 균을 죽임.
소화 | 먹은 음식물을 뱃속에서 분해하여 영양분으로 흡수함.
소멸 | 사라져 없어짐.
소등 | 공공장소나 건물 등의 등불을 끔.
소방 | 화재를 막거나 진압함.
소비 | 돈, 물건, 시간, 노력, 힘 등을 써서 없앰.
취소 | 이미 발표한 것을 거두어들이거나 약속한 것 또는 예정된 일을 없앰.
소극적 | 스스로 하려는 의지가 부족하고 활동적이지 않은 것.

모 耗 빌 모

소모품 | 종이나 볼펜처럼 쓰면 닳거나 없어지는 물건.
마모 | 마찰이 일어난 부분이 닳아서 작아지거나 없어짐.

1월 19일

25학년도 수능

근거 根據 (뿌리 근, 의거할 거)

1 어떤 일이나 의견 등에 그 근본이 됨. 또는 그런 까닭.
예 내가 그렇게 주장한 데에는 다 **근거**가 있다.

> 문어가 조개를 집어 던지는 것은 문어가 사회성을 가졌다는 것을 보여주는 **근거**예요.
>
> 출처: 『똑똑한 초등신문 1』 p.147

🔍 어휘력 확장하기

근 根 뿌리 근

근본 | 어떤 것의 본질이나 바탕.
근원 | 어떤 일이 생기게 되는 바탕이나 원인.
근절하다 | 나쁜 것을 완전히 없애다.
사실무근 | 근거가 없거나 터무니없음.

거 據 의거할 거

증거 | 어떤 사건이나 사실을 확인할 수 있는 근거.
논거 | 이론이나 주장의 근거.
근거지 | 활동의 중심인 곳.
의거하다 | 어떤 사실이나 원리 등에 근거하다.

12월 9일

21학년도 수능

성향 性向 (성품 성, 향할 향)

1 성질에 따른 경향.
- 예) 그녀는 독립적인 **성향**이 강하다.

🔍 어휘력 확장하기

성 性 성품 성

성격 | 개인이 가지고 있는 고유한 성질이나 품성.
성별 | 남자와 여자, 또는 수컷과 암컷의 구별.
성질 | 사람이 가지고 있는 마음의 본래 바탕.
성능 | 기계 등이 지닌 성질이나 기능.
개성 | 다른 것과 구별되는 고유의 특성.
인성 | 사람의 성질이나 됨됨이.
항상성 | 늘 일정한 상태를 유지하려는 성질.

향 向 향할 향

향상 | 실력, 수준, 기술 등이 더 나아짐. 또는 나아지게 함.
방향 | 어떤 지점이나 방위를 향하는 쪽.
경향 | 어느 한 방향으로 기울어진 생각이나 행동 혹은 현상.
취향 | 어떤 것에 대하여 좋아하거나 즐겨서 쏠리는 마음.
향하다 | 어느 쪽을 정면이 되게 대하다.

1월 20일

25학년도 수능

기술 技術 (재주 기, 꾀 술)

1 과학 이론을 실제로 적용하여 인간 생활에 쓸모가 있게 하는 수단.
   예 첨단 **기술**로 생산 속도가 빨라졌다.
2 사물을 잘 다루거나 사용할 수 있는 방법이나 능력.
   예 오빠의 컴퓨터 **기술**을 전수받았다.

다누리의 이름처럼 1년간 달을 마음껏 품으며 한국의 우주탐사 **기술**과 힘을 키워 주기를 모두가 바라고 있어요.

출처: 『똑똑한 초등신문 1』 p.171

어휘력 확장하기

기 技 재주 기

기사 | 직업적으로 자동차나 기계 등을 운전하는 사람.
묘기 | 매우 뛰어나고 훌륭한 재주.
기량 | 기술적인 재주나 솜씨.

술 術 꾀 술

수술 | 병을 고치기 위하여 몸의 일부를 자르거나 째거나 꿰매거나 하는 일.
미술 | 그림이나 조각처럼 눈으로 볼 수 있는 아름다움을 표현한 예술.
마술 | 빠른 손놀림이나 장치 등으로 사람의 눈을 교묘하게 속이는 기술.

12월 8일

21학년도 수능

성취하다 成就 (이룰 성, 나아갈 취)

1 목적한 것을 이루다.
  예) 원하는 것을 **성취**하고 싶다.

> '수구'는 중생이 소원을 구하면 **성취한다는** 뜻이에요. 수구다라니는 사람들이 소원을 빌면 이루어진다는 뜻의 소원을 담은 부적이에요.
>
> 출처: 『똑똑한 초등신문 2』 p.250

🔍 어휘력 확장하기

성 成 이룰 성

성공 | 원하거나 목적하는 것을 이룸.
성장 | 사람이나 동물 등이 자라서 점점 커짐.
형성 | 어떤 모습이나 모양을 갖춤.
생성 | 없던 사물이 새로 생겨남. 또는 사물이 생겨 이루어지게 함.

취 就 나아갈 취

취직 | 일정한 직업을 얻어 직장에 나감.
취침 | 잠자리에 들어 잠을 잠.
취임하다 | 새로 맡은 일을 수행하기 위해 맡은 자리에 처음으로 나아가다.
취학하다 | 교육을 받기 위해 학교에 들어가다.

1월 21일

25학년도 수능

기준 基準 (터 기, 법도 준)

1 구별하거나 정도를 판단하기 위하여 그것과 비교하도록 정한 대상이나 잣대.
- 예 성실성을 **기준**으로 하여 대표를 뽑았다.

이를 위해 정부와 국회는 동물들의 복지를 생각한 **기준**을 마련하고 동물원을 등록제가 아닌 허가제로 운영하기로 했어요.

출처: 『똑똑한 초등신문 1』 p.200

이뿐만 아니라 의약품 개발 과정에서도 주로 수컷 동물만 실험에 쓰고, 성인 남성의 체중을 **기준**으로 약을 만들어서 성인 여성에게는 약이 잘 맞지 않아요.

출처: 『똑똑한 초등신문 2』 p.140

🔍 어휘력 확장하기

기 基 터 기

기본 | 가장 먼저 해야 하는 것이나 꼭 있어야 하는 것.
기초 | 사물이나 일 등의 기본이 되는 바탕.

준 準 법도 준

준비 | 미리 마련하여 갖춤.
수**준** | 사물의 가치나 질 등을 판단하는 기준이 되는 정도.
표**준** | 사물의 성격이나 정도 등을 알기 위한 근거나 기준.

12월 7일

21학년도 수능

사치품 奢侈品 (사치할 사, 사치할 치, 물건 품)

1 분수에 지나치는 값비싼 물품.
  예) **사치품**을 지나치게 사는 것은 바람직하지 않아.

> 경제학자들은 불황기에 저렴한 **사치품**의 판매량이 오르는 현상을 '립스틱 효과'라고 부르기로 했어요.
>
> 출처: 『똑똑한 초등신문 2』 p.46

어휘력 확장하기

사 奢 사치할 사

호사 | 화려하고 사치스럽게 지냄.
화사하다 | 밝고 환하게 아름답다.

품 品 물건 품

품질 | 물건의 성질과 바탕.
품격 | 사람의 타고난 성품.
품위 | 사람이 갖추어야 할 위엄이나 기품.
품절 | 물건이 다 팔리고 없음.
부품 | 기계 등의 전체 중 어느 한 부분을 이루는 물건.
반품 | 이미 산 물건을 다시 되돌려 보냄. 또는 그 물건.

1월 22일

25학년도 수능

논란 論難 (논의할 논, 어려울 란)

1 여러 사람이 서로 다른 주장을 하며 다툼.
예) 여러 사람이 모이면 **논란**이 생기기 쉽다.

논란이 되어 온 곳은 아마존 열대우림에 있는 야수니 국립공원이에요.

출처: 『똑똑한 초등신문 2』 p.168

🔍 어휘력 확장하기

논(론) 論 논의할 논(론)

논리 | 바르게 판단하고 이치에 맞게 생각하는 과정이나 원리.
논의 | 어떤 문제에 대해 서로 의견을 말하며 의논함.
토론 | 어떤 문제에 대하여 여러 사람이 옳고 그름을 따지며 논의함.

란(난) 難 어려울 란(난)

고난 | 매우 괴롭고 어려움.
난관 | 헤쳐나가기 어려운 상황.
난치병 | 고치기 어려운 병.
난처하다 | 어떻게 행동해야 할지 결정하기 어려운 불편한 상황에 있다.
난감하다 | 분명하게 마음을 정하기 어렵다.

12월 6일

분야 分野 (나눌 분, 들 야)

21학년도 수능

1 사회 활동을 어떠한 기준에 따라 나눈 범위나 부분 중의 하나.
- 예 다양한 **분야**의 사람들을 만나니 견문이 넓어졌다.

> 심리 **분야** 전문가들을 대상으로 설문조사를 실시한 결과, 2024년 한국 사회가 가장 조심해야 할 사회심리 현상으로 '확증 편향'이 선정되었어요.
>
> 출처: 『똑똑한 초등신문 2』 p.72

어휘력 확장하기

분 分 나눌 분

- **분단** | 본래 하나였던 것이 둘 이상으로 나누어짐.
- **분할** | 여러 개로 쪼개어 나눔.

야 野 들 야

- **야채** | 밭에서 기르며 주로 그 잎이나 줄기, 열매를 먹는 농작물.
- **야생** | 산이나 들에서 저절로 나서 자람. 또는 그런 동물이나 식물.
- **야영** | 휴양이나 여행 등을 하면서 야외에 천막을 치고 자거나 머무름.
- **야외** | 집이나 건물의 밖.
- **평야** | 지표면이 평평하고 넓은 들.

1월 23일

25학년도 수능

능숙하다 能熟 (능할 능, 익을 숙)

1 어떤 일에 뛰어나고 익숙하다.
  예) 어떤 일에 **능숙**해지려면 연습이 필요하다.

> 알파세대는 태어나면서부터 스마트폰을 접하고 AI 스피커와 대화하는 등, 디지털 친화적인 환경에서 자라서 디지털 기기를 **능숙하게** 다룰 줄 아는 세대를 말해요.
>
> 출처: 『똑똑한 초등신문 1』 p.50

🔍 어휘력 확장하기

능 能 능할 능

능력 | 어떤 일을 할 수 있는 힘.
성능 | 기계 등이 지닌 성질이나 기능.
능동적 | 자기 스스로 판단하여 적극적으로 움직이는 것.
능수능란하다 | 일 등에 익숙하고 솜씨가 뛰어나다.

숙 熟 익을 숙

숙면 | 잠이 깊이 듦. 또는 그 잠.
숙성 | 성장이 충분히 이루어짐.
성숙 | 곡식이나 과일, 동물 등의 생물이 충분히 자람.
숙지하다 | 충분히 익혀서 익숙하게 잘 알다.

12월 5일

21학년도 수능

본격적 本格的 (근본 본, 격식 격, 과녁 적)

1 모습을 제대로 갖추고 적극적으로 이루어지는 것.
   예) 이제 가게 오픈을 **본격적**으로 준비하자.

2018년, 15살이 된 툰베리는 기후 및 환경운동가로 **본격적**으로 활동하기 시작했어요.

출처: 『똑똑한 초등신문 1』 p.218

🔍 어휘력 확장하기

본 本 근본 본

본능 | 생물체가 자연적으로 타고나서 하게 되는 동작이나 운동.
본질 | 어떤 사물이 그 사물 자체가 되게 하는 원래의 특성.
기본 | 가장 먼저 해야 하는 것이나 꼭 있어야 하는 것.
근본 | 어떤 것의 본질이나 바탕.

격 格 격식 격

격식 | 사회적 모임 등에서 수준이나 분위기에 맞는 일정한 방식.
체격 | 근육과 뼈 등으로 나타나는 몸 전체의 겉모습.
엄격 | 말, 태도, 규칙 등이 매우 엄하고 철저함.
인격 | 말이나 행동에 나타나는 한 사람의 전체적인 품격.

1월 24일

25학년도 수능

단서 端緒 (바를 단, 실마리 서)

1. 문제를 해결하는 데 도움이 되는 사실.
   - 예) 결정적 **단서**를 찾고서야 범인을 잡을 수 있었다.
2. 어떤 일이 일어나게 되는 출발점.
   - 예) 이 연구는 우주여행의 **단서**가 되었다.

🔍 어휘력 확장하기

단 端 바를 단

- **단**정하다 | 겉모습이 깔끔하거나 태도가 얌전하고 바르다.
- 야**단** | 어떤 일 때문에 시끄럽게 자꾸 떠들거나 소란을 일으킴.
- 발**단** | 어떤 일의 시작이나 실마리.
- 첨**단** | 시대나 학문, 유행 등의 가장 앞서는 자리.
- 극**단**적 | 마음이나 행동이 한쪽으로 완전히 치우친 것.

서 緖 실마리 서

- **서**론 | 말이나 글에서 본격적인 논의를 하기 위한 첫머리가 되는 부분.
- 정**서** | 사람의 마음에 일어나는 여러 가지 감정.

12월 4일

21학년도 수능

보존되다 保存 (보전할 보, 있을 존)

1 중요한 것이 잘 보호되어 그대로 남겨지다.
　예 유물들은 박물관에 보존되어 있다.

> 그러나 이번 연구에서 약 1센티미터 길이의 쥐만 한 포유류의 발이 그대로 보존되어 있는 것을 처음으로 찾아냈어요.
>
> 출처: 『똑똑한 초등신문 1』 p.168

어휘력 확장하기

보　保 보전할 보

보안 | 중요한 정보 등이 빠져나가지 않도록 안전한 상태로 보호함.
보전 | 변하는 것이 없도록 잘 지키고 유지함.
보호 | 위험하거나 곤란하지 않게 지키고 보살핌.
보건 | 병의 예방이나 치료 등을 통해 건강을 잘 지킴.
보험 | 미래의 재해나 질병 등에 대비해 정해진 기간 동안 일정한 돈을 적립해 두는 제도.

존　存 있을 존

생존 | 살아 있음. 또는 살아남음.
의존 | 자신의 힘으로 하지 못하고 다른 것의 도움을 받아 의지함.
공존 | 두 가지 이상의 현상이나 성질, 사물이 함께 존재함.

1월 25일

25학년도 수능

단순하다   單純 (홑 단, 순수할 순)

1 복잡하지 않고 간단하다.
- 예 반복되는 **단순**한 작업은 빨리 끝낼 수 있다.

> 벚꽃 개화 시기가 빨라졌다는 사실은 꽃구경을 언제 가야 하는지 알려주는 **단순한** 정보가 아니에요.
>
> 출처: 『똑똑한 초등신문 2』 p.195

🔍 어휘력 확장하기

단 單 홑 단

- **단어** | 홀로 쓰일 수 있는 가장 작은 말의 단위.
- **단독** | 함께 하지 않고 혼자.
- **단위** | 길이, 양, 무게 등을 수로 나타낼 때 기초가 되는 기준.
- **단일** | 여럿이 아닌 하나로 되어 있음.
- **단조롭다** | 변화가 없이 단순하고 지루하다.

순 純 순수할 순

- **순수** | 다른 것이 전혀 섞이지 않다.
- **순진** | 마음이 꾸밈이 없고 참됨.
- **순전히** | 순수하고 완전하게.

12월 3일

21학년도 수능

보상 報償 (갚을 보, 갚을 상)

1 남에게 진 빚이나 받은 물건을 갚음.
   - 예 **보상**을 바라지 않고 친구를 도왔다.
2 어떤 일이나 수고 또는 받은 은혜에 대한 대가로 갚음.
   - 예 노력에 대한 **보상**이 분명히 있을 거야.

> 이에 작가와 배우들은 정당한 **보상**을 요구하는 동시에 무분별한 AI 활용에 반대하며 파업을 시작했어요.
>
> 출처: 『똑똑한 초등신문 1』 p.218

🔍 어휘력 확장하기

보 報 갚을 보

보답 | 남에게 받은 은혜나 고마움을 갚음.
보복 | 남에게 해를 입은 것에 대한 복수로 그에게도 그만큼의 해를 입힘.
보고 | 연구하거나 조사한 것의 내용이나 결과를 말이나 글로 알림.
정보 | 어떤 사실이나 현상을 관찰하여 모은 자료를 정리한 지식.

상 償 갚을 상

상환 | 빌린 돈이나 물건 등을 갚거나 돌려줌.
무상 | 어떤 일이나 물건에 대한 값을 치르거나 받지 않음.
손해 배상 | 법에 따라 다른 사람에게 입힌 손해를 물어 주는 일.

1월 26일

25학년도 수능

달성하다   達成 (통달 달, 이룰 성)

1 목적한 것을 이루다.
  예) 새해 계획했던 목표를 달성했다.

🔍 어휘력 확장하기

달   達 통할 달

도달하다 | 목적한 곳이나 일정한 수준에 다다르다.
달인 | 어떠한 분야에서 남달리 뛰어난 재능을 가진 사람.
배달 | 우편물이나 물건, 음식 등을 가져다 줌.
발달 | 신체, 정서, 지능 등이 성장하거나 성숙함.
전달 | 사물을 어떤 대상에게 전하여 받게 함.

성   成 이룰 성

성공 | 원하거나 목적하는 것을 이룸.
성적 | 일이나 경기 등의 결과로 얻은 실적.
성인 | 어른이 된 사람.

12월 2일

번영 繁榮 (많을 번, 꽃 영)

21학년도 수능

1 어떤 사회나 조직이 번성하여 물질적으로 넉넉해짐.
  예 왕은 왕조의 **번영**을 꿈꿨다.

> IMF(국제통화기금)는 1947년 3월에 시작된 국제 연합의 전문 기관의 하나로 공동의 돈을 만들어 각국이 이용하도록 하여, 세계 각국의 경제적 **번영**을 일으키기 위하여 만들어진 국제 금융 결제 기관이에요.
>
> 출처: 『똑똑한 초등신문 1』 p.42

🔍 어휘력 확장하기

번 繁 많을 번

번식 | 생물체의 수나 양이 늘어서 많이 퍼짐.
번화가 | 상업 활동이 활발하고 화려하여 사람들이 많이 모이는 거리.
번창하다 | 어떤 조직이나 활동 등이 한창 잘되어 크게 일어나다.

영 榮 꽃 영

영광 | 빛이 날 만큼 아름답고 자랑스러운 명예.
허영 | 자기의 분수에 넘치고 실속이 없이 겉을 화려하게 꾸미는 것.
부귀영화 | 재산이 많고 지위가 높아 그것을 세상에 드러내 마음껏 누리는 것.

1월 27일

25학년도 수능

도입 導入 (이끌 도, 들 입)

1 지식, 기술, 물자 등을 들여옴.
   예 새로운 기술의 **도입**으로 생활이 편리해졌다.

23년부터 식품에 유통기한을 써놓는 대신 소비기한을 쓰게 됐어요. 1985년 유통기한이 **도입**된 후 38년 만의 변화예요.

출처: 『똑똑한 초등신문 1』 p.32

생태법인 제도 **도입**으로 자연을 바라보는 사람들의 인식과 태도에 큰 변화가 생기고, 이로써 사람과 동·식물이 평등하게 살아갈 수 있기를 바라요.

출처: 『똑똑한 초등신문 2』 p.179

어휘력 확장하기

도 導 이끌 도

지도하다 | 어떤 목적이나 방향으로 다른 사람을 가르쳐 이끌다.
유도하다 | 사람이나 물건을 원하는 방향이나 장소로 이끌다.

입 入 들 입

입구 | 안으로 들어갈 수 있는 문이나 통로.
입학 | 학생이 되어 공부하기 위해 학교에 들어감.
수입 | 어떤 일을 하여 돈이나 물건 등을 거두어들임.

12월 1일

21학년도 수능

밀접하다 密接 (빽빽할 밀, 접할 접)

1 아주 가깝게 마주 닿아 있다. 또는 그런 관계에 있다.
   예 정치와 사회는 **밀접**하게 연결되어 있다.

🔍 어휘력 확장하기

밀 密 빽빽할 밀

밀도 | 물질의 부피당 질량.
밀림 | 주로 열대 지방에서, 큰 나무가 빽빽하게 차 있는 숲.
밀봉 | 단단히 붙여 꼭 봉함.
비밀 | 숨기고 있어 남이 모르는 일.
친밀 | 사이가 매우 친하고 가까움.
긴밀하다 | 서로의 관계가 매우 가깝고 맞닿아 있다.

접 接 접할 접

접근 | 가까이 다가감.
접촉 | 서로 맞닿음.
근접 | 가까이 있거나 다가감.
접착제 | 두 물체를 서로 붙이는 데 쓰는 것.
면접관 | 직접 만나서 질문과 대답을 하는 형식으로 응시자를 평가하는 사람.

1월 28일

25학년도 수능

동원하다 動員 (움직일 동, 관원 원)

1 어떤 목적을 이루려고 사람이나 물건, 방법 등을 한데 모으다.
   예 물이 새는 것을 막기 위해 여러 방법을 동원했다.

🔍 어휘력 확장하기

동 動 움직일 동

- **동물** | 먹이로 영양분을 얻고 자유롭게 몸을 움직일 수 있는 생물.
- **동기** | 어떤 일이나 행동을 하게 되는 원인이나 기회.
- **동작** | 몸이나 손발 등을 움직임. 또는 그런 모양.
- **행동** | 몸을 움직여 어떤 일이나 동작을 함.
- **활동** | 몸을 움직여 행동함.

원 員 관원 원

- **공무원** | 국가나 지방 공공 단체의 업무를 담당하는 사람.
- **종업원** | 직장 등에서 어떤 업무에 종사하는 사람.
- **회원** | 어떤 모임을 이루는 사람.

12월

1. 밀접하다
2. 번영
3. 보상
4. 보존되다
5. 본격적
6. 분야
7. 사치품
8. 성취하다
9. 성향
10. 소모
11. 손상
12. 심각하다
13. 위기
14. 유도하다
15. 어휘 퀴즈
16. 유래하다
17. 유입
18. 인식
19. 중시하다
20. 지속되다
21. 지향하다
22. 지혜
23. 짐작
24. 차단하다
25. 추구
26. 하락
27. 한정되다
28. 확인하다
29. 훼손
30. 흔적
31. 어휘 퀴즈

1월 29일

25학년도 수능

동일하다 同一 (같을 동, 하나 일)

1 비교해 본 결과 별다른 차이점이 없이 똑같다.
- 예) 내 생각도 너의 생각과 **동일**해.

선천적으로 청각과 시각 장애를 가진 사람들도 일반적인 감각을 가진 사람과 **동일한** 뇌 활동이 일어난다는 연구 결과가 나왔어요.

출처: 『똑똑한 초등신문 1』 p.80

스킴플레이션은 가격은 **동일하거나** 혹은 더 올랐음에도 불구하고 상품과 서비스의 질이 눈에 띄지 않게 떨어지는 현상을 가리켜요.

출처: 『똑똑한 초등신문 2』 p.34

🔍 어휘력 확장하기

동 同 같을 동

- **동**의 | 같은 의견을 가짐.
- **동**감 | 어떤 의견에 같은 생각을 가짐. 또는 그 생각.
- **동**행 | 함께 길을 감.

일 一 하나 일

- **일**부 | 한 부분. 또는 전체 중에서 얼마.
- 통**일** | 나누어지거나 갈라진 것들을 합쳐서 하나가 되게 함.

초성으로 맞히는 어휘 퀴즈

11월 30일

다음은 어떤 어휘의 뜻일까요? 어휘를 직접 써 보세요.

16 서로 잘 어울리는 성질이 있다. `ㅈㅎㄹㄷ` _____

17 자기만의 생각이나 관점. `ㅈㄱ` _____

18 몹시 중요하고 크다. `ㅈㄷㅎㄷ` _____

19 일정한 기준을 넘음. `ㅊㄱ` _____

20 어떤 조건이나 기준 등에 가장 알맞음. `ㅊㅈ` _____

21 미루어 생각하여 판단하고 정하다. `ㅊㅈㅎㄷ` _____

22 사물의 이치에 맞아 올바르다. `ㅌㄷㅎㄷ` _____

23 남보다 훨씬 뛰어나다. `ㅌㅇㅎㄷ` _____

24 일반적으로 널리 씀. `ㅌㅇ` _____

25 건물 등이 파괴되어 못 쓰게 된 터. `ㅍㅎ` _____

26 둘 이상의 것을 합쳐서 하나를 이룸. `ㅎㅅ` _____

27 다른 것과 구별되는 고유의 특성. `ㄱㅅ` _____

28 어느 한 방향으로 기울어진 생각이나 행동 혹은 현상. `ㄱㅎ` _____

29 서로의 관계가 매우 가깝고 맞닿아 있다. `ㄱㅁㅎㄷ` _____

여러분이 지난 14일 동안 매일 하나씩 공부했던 어휘들을 다시 보면서 정답을 확인해 보세요.
어휘의 뜻을 다시 확인하고 되새겨 본다면 여러분의 어휘력은 무한하게 확장될 거예요.
가족이나 친구들과도 함께 퀴즈를 풀면서 재미있게 어휘력을 키워 보세요.

1월 30일

25학년도 수능

명예 名譽 (이름 명, 기릴 예)

1 세상으로부터 훌륭하다고 평가되고 인정되는 이름.
   예 그 상을 받음으로써 학교의 **명예**를 높였다.

🔍 어휘력 확장하기

명 名 이름 명

명단 | 어떤 일에 관련된 사람들의 이름을 적은 표나 문서.
명목 | 무엇을 하기 위해 겉으로 내세우는 이유나 핑계.
명문 | 훌륭한 전통으로 세상에 이름난 좋은 학교.
명성 | 사람들에게 높은 평가를 받으며 세상에 널리 알려진 이름.
명소 | 아름다운 경치나 유적, 특산물 등으로 유명한 장소.
명칭 | 사람이나 사물 등을 가리켜 부르는 이름.
명품 | 뛰어나거나 이름난 상품이나 작품.
익명 | 이름을 밝히지 않음. 또는 숨긴 이름이나 대신 쓰는 이름.
유명 | 이름이 널리 알려져 있음.
별명 | 이름과는 다르게 대상의 특징을 나타내도록 지어 부르는 이름.
실명 | 가명이나 별명이 아닌 진짜 이름.

예 譽 기릴 예

명예 훼손 | 다른 사람의 이름이나 인격 등의 사회적 평가에 손해를 입히는 일.

11월 29일

21학년도 수능

긴밀하다 緊密 (팽팽할 긴, 빽빽할 밀)

1 서로의 관계가 매우 가깝고 맞닿아 있다.
   예 두 회사는 **긴밀**하게 협력한다.

어휘력 확장하기

긴 緊 팽팽할 긴

긴장 | 마음을 놓지 않고 정신을 바짝 차림.
긴급 | 매우 중요하고 급함.
요긴하다 | 꼭 필요하고 중요하다.

밀 密 빽빽할 밀

밀도 | 물질의 부피당 질량.
밀림 | 주로 열대 지방에서, 큰 나무가 빽빽하게 차 있는 숲.
밀봉 | 단단히 붙여 꼭 봉함.
비밀 | 숨기고 있어 남이 모르는 일.
친밀 | 사이가 매우 친하고 가까움.
밀접하다 | 아주 가깝게 마주 닿아 있다. 또는 그런 관계에 있다.

초성으로 맞히는 어휘 퀴즈

1월 31일

다음은 어떤 어휘의 뜻일까요? 어휘를 직접 써 보세요.

16 고르지 못하거나 틀어지거나 잘못된 것을 바로잡다. `ㄱㅈㅎㄷ`

17 성질이나 종류에 따라 갈라놓다. `ㄱㅂㅎㄷ`

18 규칙이나 법에 의하여 개인이나 단체의 활동을 제한하다. `ㄱㅈㅎㄷ`

19 어떤 일이나 의견 등에 그 근본이 됨. `ㄱㄱ`

20 과학 이론을 실제로 적용하여 인간 생활에 쓸모가 있게 하는 수단. `ㄱㅅ`

21 구별하거나 정도를 판단하기 위하여 그것과 비교하도록 정한 대상이나 잣대. `ㄱㅈ`

22 여러 사람이 서로 다른 주장을 하며 다툼. `ㄴㄹ`

23 어떤 일에 뛰어나고 익숙하다. `ㄴㅅㅎㄷ`

24 문제를 해결하는 데 도움이 되는 사실. `ㄷㅅ`

25 복잡하지 않고 간단하다. `ㄷㅅㅎㄷ`

26 목적한 것을 이루다. `ㄷㅅㅎㄷ`

27 지식, 기술, 물자 등을 들여옴. `ㄷㅇ`

28 어떤 목적을 이루려고 사람이나 물건, 방법 등을 한데 모으다. `ㄷㅇㅎㄷ`

29 비교해 본 결과 차이점이 없이 똑같다. `ㄷㅇㅎㄷ`

30 세상으로부터 훌륭하다고 평가되고 인정되는 이름. `ㅁㅇ`

11월 28일

21학년도 수능

경향 傾向 (기울 경, 향할 향)

1 어느 한 방향으로 기울어진 생각이나 행동 혹은 현상.
  예) 그는 과소비하는 **경향**을 보인다.

사람들은 경제가 나쁠 때 큰돈을 들이지 않고도 사치를 부릴 수 있는 물건을 사려는 **경향**을 보여요.

출처: 『똑똑한 초등신문 2』 p.46

🔍 어휘력 확장하기

경 傾 기울 경

경사 | 바닥이 평평하지 않고 기울어진 부분, 또는 그런 상태나 정도.
경청 | 다른 사람이 말하는 것을 귀를 기울여 들음.
경국지색 | 임금이 반하여 나라를 위태롭게 할 정도로 아주 아름다운 여자.

향 向 향할 향

향상 | 실력, 수준, 기술 등이 더 나아짐. 또는 나아지게 함.
향후 | 이것의 바로 뒤에 이어져 오는 때나 차례.
방향 | 어떤 지점이나 방위를 향하는 쪽.
외향적 | 바깥으로 드러나는 것.
성향 | 성질에 따른 경향.

2월

1. 모욕
2. 목적
3. 반복하다
4. 방해
5. 번식하다
6. 변경
7. 변화
8. 별개
9. 복원
10. 복합
11. 부재
12. 부정적
13. 분포
14. 불과하다
15. **어휘 퀴즈**
16. 사건
17. 사상
18. 삭제
19. 상대적
20. 상호
21. 생성되다
22. 생존
23. 성립하다
24. 소멸
25. 솔직하다
26. 수용하다
27. 수호
28. **어휘 퀴즈**

11월 27일

21학년도 수능

개성   個性 (낱 개, 성품 성)

1 다른 것과 구별되는 고유의 특성.
  예) 사람들은 옷으로 자신만의 **개성**을 표현하곤 한다.

2024년 한국을 강타한 패션 키워드는 꾸미기 열풍! 신발에 마음에 드는 참을 달고, 다이어리에 스티커를 붙이고, 가방에 키링을 달아 자신만의 **개성**을 드러내는 꾸미기 열풍이 하나의 패션 트렌드로 자리 잡았어요.

출처: 『똑똑한 초등신문 1』 p.100

🔍 어휘력 확장하기

개   個 낱 개

- **개별** | 하나씩 따로 떨어져 있는 상태.
- **개인** | 어떤 단체나 조직을 이루는 한 사람 한 사람.
- **개체** | 전체를 이루는 낱낱의 존재.
- **개수** | 하나씩 세는 물건의 수.

성   性 성품 성

- **성격** | 개인이 가지고 있는 고유한 성질이나 품성.
- **성능** | 기계 등이 지닌 성질이나 기능.
- **성별** | 남자와 여자, 또는 수컷과 암컷의 구별.
- **특성** | 일정한 사물에만 있는 보통과 매우 차이가 나게 다른 성질.

2월 1일

25학년도 수능

모욕 侮辱 (업신여길 모, 욕될 욕)

1 낮추어 보고 창피를 주고 불명예스럽게 함.
    예 누군가에게 **모욕**을 주는 일은 옳지 않다.

어휘력 확장하기

모 侮 업신여길 모

모멸 | 업신여기고 깔봄.

욕 辱 욕될 욕

욕 | 남을 무시하거나 비난하는 상스러운 말.
욕설 | 남을 무시하거나 비난하는 상스러운 말.
치욕 | 욕되고 창피스러움.
곤욕 | 심한 모욕이나 참기 힘든 일.

11월 26일

22학년도 수능

합성 合成 (합할 합, 이룰 성)

1 둘 이상의 것을 합쳐서 하나를 이룸.
  예 이 음료수에는 **합성** 향료가 첨가되어 있다.

랩 그로운(Lab Grown) 다이아몬드는 실험실에서 자란 **합성** 다이아몬드지만, 천연 다이아몬드만큼 투명하고 색이 고와서 전문가들도 맨눈으로는 이 둘을 구별하기 어렵다고 해요.

출처: 『똑똑한 초등신문 2』 p.33

어휘력 확장하기

합 合 합할 합

복합 | 두 가지 이상이 하나로 합침. 또는 두 가지 이상을 하나로 합침.
혼합 | 여러 가지를 뒤섞어 한데 합함.
합의 | 서로 의견이 일치함. 또는 그 의견.

성 成 이룰 성

성공 | 원하거나 목적하는 것을 이룸.
성숙 | 몸과 마음이 자라서 어른스럽게 됨.
성장 | 사람이나 동물 등이 자라서 점점 커짐.
형성 | 어떤 모습이나 모양을 갖춤.
생성 | 없던 사물이 새로 생겨남. 또는 사물이 생겨 이루어지게 함.

2월 2일

25학년도 수능

목적 目的 (눈 목, 과녁 적)

1 이루려고 하는 일이나 나아가고자 하는 방향.
   예 이 일의 **목적**은 모두가 즐거운 시간을 갖는 것이다.

> 이 화재는 상당수의 아마존 나무들이 베어져서인데요, 이는 브라질 전 대통령이 아마존 지역 개발을 **목적**으로 대규모 벌채를 허용했기 때문이죠.
>
> 출처: 『똑똑한 초등신문 1』 p.183
>
> 빵집에 가기 전 그 길을 미리 상상할 수 있는 것처럼 쥐도 어떤 **목적**을 위해 가야 할 길을 미리 생각할 수 있었어요.
>
> 출처: 『똑똑한 초등신문 2』 p.143

🔍 어휘력 확장하기

목 目 눈 목

목표 | 어떤 목적을 이루기 위하여 도달해야 할 구체적인 대상.
목격 | 어떤 일이나 일이 벌어진 현장을 눈으로 직접 봄.
안목 | 어떤 것의 가치를 판단하거나 구별할 수 있는 능력.
주목 | 관심을 가지고 주의 깊게 살핌. 또는 그 시선.

적 的 과녁 적

적중하다 | 화살이나 총알 등이 목표물에 맞다.

11월 25일

22학년도 수능

폐허 廢墟 (폐할 폐, 터 허)

1 건물 등이 파괴되어 못 쓰게 된 터.
- 예: 과거에 놀이공원이었던 곳이 지금은 **폐허**가 되었다.

> 그 어디에서도 희망을 찾아보기 힘든 **폐허** 속에서 아이들은 자신의 꿈을 이루기 위해 열심히 노력하겠다는 의지를 굽히지 않았어요.
>
> 출처: 『똑똑한 초등신문 1』 p.117

 어휘력 확장하기

 廢 폐할 폐

폐기물 | 못 쓰게 되어 버리는 물건.
폐가 | 사람이 살지 않고 버려두어 낡은 집.
폐인 | 병 등으로 몸이 망가진 사람.

2월 3일

25학년도 수능

반복하다 反復 (돌이킬 반, 돌아올 복)

1 같은 일을 여러 번 계속하다.
  예) 교과서를 **반복**해서 읽는 것은 암기에 도움이 된다.

> 보통 태양 활동은 11년을 주기로 '세졌다', '약해졌다'를 **반복하는데**, 과학자들은 2025년에 태양 활동이 가장 강해질 거라고 예상해요.
>
> 출처: 『똑똑한 초등신문 2』 p.134

🔍 어휘력 확장하기

반 反 돌이킬 반

반대 | 어떤 것이 다른 것과 모양, 위치, 방향, 속성 등에서 완전히 다름.
반응 | 어떤 자극에 대하여 어떤 현상이 일어남. 또는 그 현상.
반발 | 어떤 상태나 행동 등에 대하여 반대함.
반성 | 말이나 행동을 되돌아보면서 잘못을 살피거나 그것을 깨닫고 뉘우침.
정반대 | 완전히 반대됨.

복 復 돌아올 복

복습 | 배운 것을 다시 공부함.
회복 | 아프거나 약해졌던 몸을 다시 예전의 상태로 돌이킴.
복원 | 원래의 상태나 모습으로 돌아가게 함.
복구 | 고장 나거나 파괴된 것을 이전의 상태로 되돌림.

11월 24일

22학년도 수능

통용 通用 (통할 통, 쓸 용)

1 일반적으로 널리 씀.
  예) 안전상의 문제로 이 상품은 **통용**이 되지 못했다.

어휘력 확장하기

통 通 통할 통

통과 | 검사, 시험 등에서 해당 기준이나 조건에 맞아 인정되거나 합격함.
통역 | 다른 나라 말을 사용하는 사람들 사이에서 뜻이 통하도록 말을 옮겨 줌.
교통 | 자동차, 기차, 배 등의 탈것을 이용하여 사람이나 짐이 오고 가는 일.
소통 | 오해가 없도록 뜻이나 생각이 서로 잘 통함.

용 用 쓸 용

용건 | 해야 할 일.
용도 | 쓰이는 곳이나 목적.
사용 | 무엇을 필요한 일이나 기능에 맞게 씀.
활용 | 어떤 대상이 가지고 있는 쓰임이나 능력을 충분히 잘 이용함.

2월 4일

25학년도 수능

방해 妨害 (방해할 방, 해로울 해)

1 일이 제대로 되지 못하도록 간섭하고 막음.
  예 학교 운동장 공사로 체육 수업에 **방해**를 받았다.

> 러시아의 우크라이나 침공으로 인해 우크라이나의 곡물 수출과 생산이 **방해**받으면서 전 세계 식량난이 심해지고 있어요.
>
> 출처: 『똑똑한 초등신문 1』 p.108

🔍 어휘력 확장하기

방 妨 방해할 방

무방하다 | 문제 될 것 없이 괜찮다.

해 害 해로울 해

해롭다 | 이롭지 않고 해가 되는 점이 있다.
해충 | 이, 벼룩, 회충 등과 같이 사람에게 해를 끼치는 벌레.
공해 | 산업과 교통의 발달 등으로 생활 환경이 입게 되는 여러 가지 피해.
피해 | 생명이나 신체, 재산, 명예 등에 손해를 입음. 또는 그 손해.

11월 23일

탁월하다 卓越 (높을 탁, 넘을 월)

1 남보다 훨씬 뛰어나다.
- 예) 나의 노래 실력은 **탁월**하다.

22학년도 수능

어휘력 확장하기

탁 卓 높을 탁

- **식탁** | 음식을 차려 놓고 둘러앉아서 먹을 때 쓰는 탁자.
- **탁구** | 네모난 테이블 가운데에 네트를 세우고, 공을 라켓으로 쳐서 넘기고 받는 실내 경기.
- **탁상공론** | 실제로 이루어질 가능성이 적은, 헛된 이론이나 논의.

월 越 넘을 월

- **월권** | 자신의 권력이 미치는 범위 밖의 일에 관여함.
- **월등** | 수준이 다른 것이나 보통보다 훨씬 뛰어나게.
- **월동** | 겨울을 보냄.
- **월척** | 낚시에서, 한 자가 넘는 큰 물고기를 낚음. 또는 그 물고기.
- **초월** | 현실적이고 정상적인 한계를 뛰어넘음.

2월 5일

25학년도 수능

번식하다 繁殖 (많을 번, 번성할 식)

1 생물체의 수나 양이 늘어서 많이 퍼지다.
  예) 세균이 **번식**하는 것을 막아야 한다.

> 꿀벌은 밀원식물로부터 꽃가루와 꿀을 얻고 이때 얻은 꽃가루를 다른 식물로 옮겨 그 식물이 잘 **번식할** 수 있도록 돕는 역할을 해요.
>
> 출처: 『똑똑한 초등신문 2』 p.164

🔍 어휘력 확장하기

번 繁 많을 번

번화가 | 상업 활동이 활발하고 화려하여 사람들이 많이 모이는 거리.
번화하다 | 상업 활동이 활발하고 화려하다.
번영 | 어떤 사회나 조직이 번성하여 물질적으로 넉넉해짐.
번창 | 어떤 조직이나 활동 등이 한창 잘되어 크게 일어남.

식 殖 번성할 식

생식기 | 생물의 생식에 관여하는 몸의 기관.
증식 | 늘어서 많아짐. 또는 늘려서 많게 함.

11월 22일

타당하다 妥當 (온당할 타, 마땅할 당)

1 사물의 이치에 맞아 올바르다.
  예 **타당**하고 합리적인 결정을 내려야 한다.

어휘력 확장하기

타 妥 온당할 타

타협 | 어떤 일을 서로 양보하여 의논함.
보편타당하다 | 일반적으로 누구에게나 옳게 여겨질 만하다.

당 當 마땅할 당

당연히 | 이치로 보아 마땅히 그렇다.
당분간 | 앞으로 얼마 동안.
당장 | 어떤 일이 일어난 바로 그 자리. 또는 그 시간.
당일 | 바로 그날.
당첨 | 여럿 가운데 어느 하나를 골라잡는 추첨에서 뽑힘.
당국 | 어떤 일에 직접 관계가 있는 나라.
당락 | 선거, 시험 등에 붙는 것과 떨어지는 것.
당선 | 선거에서 뽑힘.

2월 6일

25학년도 수능

변경 變更 (변할 변, 고칠 경)

1 다르게 바꾸거나 새롭게 고침.
  예) 수업 **변경**은 학생들을 혼란스럽게 했다.

> 물건을 살 때 주의를 기울이고 기업도 제품이나 서비스 **변경** 내용을 거짓 없이 소비자들에게 알려야 해요.
>
> 출처: 『똑똑한 초등신문 2』 p.35

어휘력 확장하기

변 變 변할 변

변동 | 상황이나 사정이 바뀌어 달라짐.
변화 | 무엇의 모양이나 상태, 성질 등이 달라짐.
돌변 | 어떤 일이나 상황이 예상하지 못한 방향으로 갑자기 변함.

경(갱) 更 고칠 경(갱)

경신 | 이미 있던 것을 새롭게 고침.
갱신 | 이미 있는 것을 새롭게 고침.

11월 21일

추정하다 推定 (옮길 추, 정할 정)

22학년도 수능

1 미루어 생각하여 판단하고 정하다.
  예) 경찰은 그를 범인이라고 **추정**했다.

지방이 많으면 물 위로 뜨려는 부력이 작용하는데, 이때 물 위로 떠오르지 않기 위해 뼈가 무거워졌을 것으로 **추정해요**. 페루세투스는 멸종되었기 때문에, **추정한** 무게나 크기가 정확하다고 장담할 수는 없어요.

출처: 『똑똑한 초등신문 2』 p.147

🔍 어휘력 확장하기

추 推 옮길 추

추천 | 어떤 조건에 알맞은 사람이나 물건을 책임지고 소개함.
추측 | 어떤 사실이나 보이는 것을 통해서 다른 무엇을 미루어 짐작함.
추이 | 시간이 지나면서 일이나 상황이 변함. 또는 그 변하는 모습.
추진 | 물체를 밀어 앞으로 나아가게 함.

정 定 정할 정

정의 | 어떤 말이나 사물의 뜻을 명확히 밝혀 분명하게 정함. 또는 그 뜻.
정착 | 일정한 곳에 자리를 잡아 머물러 삶.
결정 | 무엇을 어떻게 하기로 분명하게 정함. 또는 그렇게 정해진 내용.

2월 7일

25학년도 수능

변화 變化 (변할 변, 될 화)

1 무엇의 모양이나 상태, 성질 등이 달라짐.
> 예 날씨 **변화**에 따라 옷차림을 달리해야 한다.

인류가 각종 개발을 통해 지구의 지질 환경에 영향을 미쳐 **변화**를 일으키고 있기 때문이지요.

출처: 『똑똑한 초등신문 1』 p.128

소비자들은 가격이 오르는 것에 더 민감하게 반응하기 때문에 제품의 양과 질의 **변화**를 알아채지 못할 때가 많아요.

출처: 『똑똑한 초등신문 2』 p.35

어휘력 확장하기

변 變 변할 변

변동 | 상황이나 사정이 바뀌어 달라짐.
돌변 | 어떤 일이나 상황이 예상하지 못한 방향으로 갑자기 변함.

화 化 될 화

화장 | 화장품을 바르거나 문질러 얼굴을 예쁘게 꾸밈.
화학 | 물질의 구조, 성분, 변화 등에 관해 연구하는 자연 과학의 한 분야.
문화 | 사회의 공동체가 일정한 목적 또는 생활 이상을 실현하기 위한 물질적·정신적 활동.

11월 20일

22학년도 수능

최적 最適 (가장 최, 갈 적)

1 어떤 조건이나 기준 등에 가장 알맞음.
  예) 내 방은 공부하기에 **최적**의 환경이다.

> 자율 주행 로봇은 스스로 주변을 살피고 장애물을 감지하면서, 바퀴나 다리를 이용하여 목적지까지 **최적** 경로를 찾아가는 로봇이에요.
>
> 출처: 『똑똑한 초등신문 2』 p.144

🔍 어휘력 확장하기

최 最 가장 최

최고 | 정도가 가장 높음.
최선 | 여럿 가운데서 가장 낫거나 좋음. 또는 그런 일.
최신 | 가장 새로움. 또는 가장 앞서 있음.
최종 | 맨 나중.

적 適 갈 적

적당하다 | 기준, 조건, 정도에 알맞다.
적성 | 어떤 일에 알맞은 사람의 성격이나 능력.
적정 | 알맞고 바른 정도.
적용 | 필요에 따라 적절하게 맞추어 쓰거나 실시함.

2월 8일

25학년도 수능

별개 別個 (다를 별, 낱 개)

1 서로 달라 관련되는 것이 없음.
  - 예) 이번 일은 그 사건과 **별개**의 문제다.

🔍 어휘력 확장하기

별 別 다를 별

별명 | 이름과는 다르게 대상의 특징을 나타내도록 지어 부르는 이름.
별도 | 원래의 것에 덧붙여 추가되거나 따로 마련된 것.
별일 | 드물고 이상한 일.
이별 | 오랫동안 만나지 못하게 떨어져 있거나 헤어짐.
차별 | 둘 이상을 차등을 두어 구별함.
구별 | 성질이나 종류에 따라 차이가 남. 또는 성질이나 종류에 따라 갈라 놓음.

개 個 낱 개

개성 | 다른 것과 구별되는 고유의 특성.
개인 | 어떤 단체나 조직을 이루는 한 사람 한 사람.

11월 19일

22학년도 수능

초과 超過 (넘을 초, 지날 과)

1. 일정한 기준을 넘음.
   예) 10kg을 넘는 짐은 **초과** 비용을 내야 한다.

🔍 어휘력 확장하기

초 超 넘을 초

초월 | 현실적이고 정상적인 한계를 뛰어넘음.
초능력 | 과학적으로는 설명할 수 없는 초자연적인 능력.
초음파 | 주파수가 너무 높아서 사람이 귀로 들을 수 없는 음파.
초소형 | 보통의 소형보다 훨씬 더 작은 소형.
초연하다 | 어떤 일에 얽매이지 않고 태연하고 의젓하다.

과 過 지날 과

과거 | 지나간 때.
과로 | 몸이 힘들 정도로 지나치게 일을 하는 것. 또는 그로 인한 심한 피로.
과정 | 어떤 일이나 현상이 계속 진행되는 동안 혹은 그 사이에 일어난 일.
통과 | 어떤 장소나 때를 거쳐서 지나감.
경과 | 시간이 지나감.
간과하다 | 큰 관심 없이 대강 보고 그냥 넘기다.

2월 9일

25학년도 수능

복원 復元 (돌아올 복, 으뜸 원)

1 원래의 상태나 모습으로 돌아가게 함.
  - 예 문화재의 **복원**은 시간이 오래 걸리는 작업이다.

🔍 어휘력 확장하기

복 復 돌아올 복

복습 | 배운 것을 다시 공부함.
회복 | 아프거나 약해졌던 몸을 다시 예전의 상태로 돌이킴.
반복 | 같은 일을 여러 번 계속함.
복구 | 고장 나거나 파괴된 것을 이전의 상태로 되돌림.

원 元 으뜸 원

원래 | 어떤 것이 이어지거나 전해 내려온 맨 처음.
원금 | 빌리거나 맡긴 돈에 이자를 붙이지 않은 원래의 돈.
기원 | 역사에서 연대를 세는 시작점이 되는 해.

11월 18일

22학년도 수능

중대하다 重大 (무거울 중, 큰 대)

1 몹시 중요하고 크다.
   예 나는 오늘 **중대**한 결정을 내렸다.

🔍 어휘력 확장하기

중 重 무거울 중

중요 | 귀중하고 꼭 필요함.
중력 | 지구가 지구 위의 물체를 끌어당기는 힘.
체중 | 몸의 무게.

대 大 큰 대

대기 | 지구를 둘러싸고 있는 모든 공기.
대회 | 많은 사람이 모이는 모임이나 회의.
대중 | 많은 사람들의 무리.
확대 | 모양이나 규모 등을 원래보다 더 크게 함.
대부분 | 절반이 훨씬 넘어 전체에 가까운 수나 양.
대규모 | 어떤 것의 크기나 범위가 큼.
대다수 | 거의 모두 다.

2월 10일

복합 複合 (겹옷 복, 합할 합)

25학년도 수능

1 두 가지 이상을 하나로 합침.
- 예) 우리 가족은 **복합** 영양제를 먹는다.

> 세계유산은 세계문화유산과 세계자연유산, 이 둘의 특징을 동시에 가진 **복합** 유산으로 구분되어요.
>
> 출처: 『똑똑한 초등신문 1』 p.194

🔍 어휘력 확장하기

복 複 겹옷 복

복잡하다 | 일, 감정 등이 정리하기 어려울 만큼 여러 가지가 얽혀 있다.
복도 | 건물 안에서 여러 방으로 통하게 만들어 놓은 통로.
복사 | 원래의 것을 다른 곳에 그대로 옮겨 놓음.
복수 | 둘 이상의 수.

합 合 합할 합

합치다 | 여럿을 하나로 모으다.
합하다 | 여럿이 한데 모이다. 또는 여럿을 한데 모으다.
합동 | 둘 이상의 집단이나 개인이 모여 일을 함께함.
합창 | 여러 사람이 목소리를 맞추어 함께 노래를 부름. 또는 그 노래.

11월 17일

22학년도 수능

주관 主觀 (주인 주, 볼 관)

---

1 자기만의 생각이나 관점.
  예 그는 신념과 **주관**이 뚜렷하다.

이처럼 명확한 **주관** 없이 다른 사람이 하는 행동이나 유행을 그대로 따라 하는 현상을 '밴드왜건 효과'라고 해요.

출처:『똑똑한 초등신문 2』p.28

🔍 어휘력 확장하기

주 主 주인 주

주인 | 대상이나 물건을 자기의 것으로 가진 사람.
주제 | 대화나 연구 등에서 중심이 되는 문제.
주장 | 자신의 의견이나 신념을 굳게 내세움. 또는 그런 의견이나 신념.

관 觀 볼 관

관광 | 어떤 곳의 경치, 상황, 풍속 등을 찾아가서 구경함.
관측 | 자연 현상을 자세히 살펴보아 어떤 사실을 짐작하거나 알아냄.
관념 | 어떤 일에 대한 견해나 생각.
관점 | 사물이나 현상을 보고 생각하는 개인의 입장 또는 태도.
객관 | 개인의 생각이나 감정에 치우치지 않고 있는 그대로 보는 것.

2월 11일

25학년도 수능

부재 不在 (아닐 부(불), 있을 재)

1 어떤 것이 있지 않음.
> 예) 엄마의 **부재**로 집안이 텅 빈 것 같다.

🔍 어휘력 확장하기

부(불) 不 아닐 부(불)

부족 | 필요한 양이나 기준에 모자라거나 넉넉하지 않음.
불안 | 마음이 편하지 않고 조마조마함.
불편 | 이용하기에 편리하지 않음.
부정 | 옳지 않음. 또는 그런 행위.
불가 | 가능하지 않음.
부동산 | 땅이나 건물과 같이 움직여 옮길 수 없는 재산.

재 在 있을 재

재학 | 학교에 소속되어 있음.
존재 | 실제로 있음. 또는 그런 대상.

11월 16일

22학년도 수능

조화롭다 調和 (고를 조, 화목할 화)

1 서로 잘 어울리는 성질이 있다.
  예) 벽지와 가구의 색이 조화롭다.

AI와 인간이 조화롭게 창작을 해나가는 방법은 없을까요? 이에 대한 진지한 논의는 앞으로도 계속될 것으로 보여요.

출처: 『똑똑한 초등신문 2』 p.71

🔍 어휘력 확장하기

조 調 고를 조

조정 | 어떤 기준이나 상황에 맞게 바로잡아 정리함.
조절하다 | 균형에 맞게 바로잡거나 상황에 알맞게 맞추다.

화 和 화목할 화

화해 | 싸움을 멈추고 서로 가지고 있던 안 좋은 감정을 풀어 없앰.
화합 | 사이좋게 어울림.
화색 | 얼굴에 드러나는 부드럽고 환한 빛.
화창하다 | 날씨가 맑고 따뜻하며 바람이 부드럽다.
화목하다 | 서로 뜻이 맞고 정답다.
화기애애하다 | 따뜻하고 화목한 분위기가 가득하다.

2월 12일

25학년도 수능

부정적 否定的 (아닐 부, 정할 정, 과녁 적)

---

1 바람직하지 못한 (것).
   예 친구들은 그 일을 **부정적**으로 생각했다.

> 인류가 지구 환경에 **부정적**인 영향을 미치고 있지만 또 반면에 인류가 지구를 살려 내기 위해 노력하고 있으니까요.
>
> 출처: 『똑똑한 초등신문 1』 p.129

🔍 어휘력 확장하기

부 否 아닐 부

부결 | 의논한 안건을 받아들이지 않기로 결정함. 또는 그런 결정.
거부 | 요구나 제안 등을 받아들이지 않음.

정 定 정할 정

정기적 | 기한이나 기간이 일정하게 정해져 있는 것.
정의 | 어떤 말이나 사물의 뜻을 명확히 밝혀 분명하게 정함. 또는 그 뜻.
정착 | 일정한 곳에 자리를 잡아 머물러 삶.
결정 | 무엇을 어떻게 하기로 분명하게 정함. 또는 그렇게 정해진 내용.

초성으로 맞히는 어휘 퀴즈

11월 15일

다음은 어떤 어휘의 뜻일까요? 어휘를 직접 써 보세요.

1. 어떤 것의 가치를 판단하거나 구별할 수 있는 능력. `ㅇㅁ` _____
2. 누르는 힘. `ㅇㄹ` _____
3. 영화, 텔레비전 등의 화면에 나타나는 모습. `ㅇㅅ` _____
4. 사실과 다르게 해석하거나 사실에서 멀어지게 하다. `ㅇㄱㅎㄷ` _____
5. 마주치기를 원하지 않아서 얼굴을 돌려 피하다. `ㅇㅁㅎㄷ` _____
6. 힘이나 재산이 있다. `ㅇㄹㅎㄷ` _____
7. 전 세계의 모든 사람. `ㅇㄹ` _____
8. 물건값이나 월급, 요금 등을 올리다. `ㅇㅅㅎㄷ` _____
9. 어떤 것이 확실하다고 여기거나 받아들이다. `ㅇㅈㅎㄷ` _____
10. 비교되는 대상이 서로 다르지 않고 꼭 같거나 들어맞음. `ㅇㅊ` _____
11. 옷, 기구, 장비 등에 장치가 달리거나 붙여지다. `ㅈㅊㄷㄷ` _____
12. 어떤 곳을 멀리 바라봄. 또는 멀리 바라보이는 경치. `ㅈㅁ` _____
13. 관찰하거나 측정하여 모은 자료를 정리한 지식. `ㅈㅂ` _____
14. 관습, 도덕, 법률 등의 규범이나 사회 구조의 체계. `ㅈㄷ` _____

2월 13일

25학년도 수능

분포 分布 (나눌 분, 베 포)

1 일정한 범위에 나뉘어 흩어져 있음.
   예) 지역에 따라 지하철 노선의 **분포**가 다르다

> 인구절벽이란 한 국가의 인구가 급격히 줄어들어 인구 **분포**가 절벽처럼 깎인 모습을 보인다는 말이에요.
>
> 출처: 『똑똑한 초등신문 1』 p.88

🔍 어휘력 확장하기

분 分 나눌 분

분단 | 본래 하나였던 것이 둘 이상으로 나누어짐.
분류 | 여럿을 종류에 따라서 나눔.
분석 | 어떤 현상이나 사물을 여러 요소나 성질로 나눔.
구분 | 어떤 기준에 따라 전체를 몇 개의 부분으로 나눔.

포 布 베 포

배포 | 신문이나 책 등을 널리 나누어 줌.
공포 | 확정된 법이나 규정 등을 일반 대중에게 널리 알림.
폭포 | 절벽에서 쏟아져 내리는 세찬 물줄기.

11월 14일

22학년도 수능

제도 制度 (억제할 제, 법도 도)

1 관습, 도덕, 법률 등의 규범이나 사회 구조의 체계.
  예) 대다수의 사람들은 기존 **제도**에 반대했다.

국내 최초로 제주특별자치도가 남방큰돌고래를 법으로 보호하기 위해 생태법인 **제도** 도입을 추진하고 있거든요. 이 제도가 시행되면, 동·식물도 인간과 동등한 법적 권리를 가지게 되고 후견인을 통해 소송을 제기할 수 있어요.

출처: 『똑똑한 초등신문 2』 p.178

🔍 어휘력 확장하기

제 制 억제할 제

제거 | 없애 버림.
제외 | 어떤 대상이나 셈에서 뺌.
배제 | 받아들이거나 포함하지 않고 제외시켜 빼놓음.
삭제 | 없애거나 지움.

도 度 법도 도

도외시하다 | 중요하게 생각하지 않고 무시하다.
속도 | 물체가 움직이거나 일이 진행되는 빠르기.
태도 | 몸을 움직이거나 어떤 일을 대하는 마음이 드러난 자세.

2월 14일

25학년도 수능

불과하다   不過 (아닐 불, 지날 과)

1 어떤 수량에 지나지 않은 상태이다.
  예) 우리 학교는 전교생이 오십 명에 **불과**하다.

> 스웨덴 스톡홀름대의 경우, 2009년에는 한국어 학생이 30명에 **불과했는데**, 2020년에는 약 100명으로 증가했어요.
>
> 출처: 『똑똑한 초등신문 1』 p.98

🔍 어휘력 확장하기

불(부)   不 아닐 불(부)

부재 | 어떤 것이 있지 않음.
불안 | 마음이 편하지 않고 조마조마함.
불편 | 이용하기에 편리하지 않음.

과   過 지날 과

과정 | 어떤 일이나 현상이 계속 진행되는 동안 혹은 그 사이에 일어난 일.
통과 | 어떤 장소나 때를 거쳐서 지나감.
경과 | 시간이 지나감.
간과하다 | 큰 관심 없이 대강 보고 그냥 넘기다.

11월 13일

22학년도 수능

정보 情報 (뜻 정, 갚을 보)

1 관찰하거나 측정하여 모은 자료를 정리한 지식. 또는 그 자료.
   예 이 책은 생활에 유용한 정보를 모아 놓았다.

현재 가장 주목받고 있는 4세대 유전자 가위는 이전 유전자 가위의 단점을 보완한 것으로, 관계있는 유전자만을 정확히 잘라 내고 새로운 유전 정보를 넣을 수 있어요.

출처: 『똑똑한 초등신문 2』 p.150

🔍 어휘력 확장하기

정 情 뜻 정

정서 | 기쁨, 슬픔, 사랑, 미움 등과 같이 마음에 일어나는 여러 가지 감정.
감정 | 일이나 대상에 대하여 마음에 일어나는 느낌이나 기분.
열정 | 어떤 일에 뜨거운 애정을 가지고 열심히 하는 마음.

보 報 갚을 보

보답 | 남에게 받은 은혜나 고마움을 갚음.
보상 | 남에게 진 빚이나 받은 물건을 갚음.
보복 | 남에게 해를 입은 것에 대한 복수로 그에게도 그만큼의 해를 입힘.
보고 | 연구하거나 조사한 것의 내용이나 결과를 말이나 글로 알림.
결초보은 | 죽은 뒤에라도 은혜를 잊지 않고 갚음.

2월 15일

초성으로 맞히는 어휘 퀴즈

다음은 어떤 어휘의 뜻일까요? 어휘를 직접 써 보세요.

1. 낮추어 보고 창피를 주고 불명예스럽게 함. `ㅁㅇ` _____
2. 이루려고 하는 일이나 나아가고자 하는 방향. `ㅁㅈ` _____
3. 같은 일을 여러 번 계속하다. `ㅂㅂㅎㄷ` _____
4. 일이 제대로 되지 못하도록 간섭하고 막음. `ㅂㅎ` _____
5. 생물체의 수나 양이 늘어서 많이 퍼지다. `ㅂㅅㅎㄷ` _____
6. 다르게 바꾸거나 새롭게 고침. `ㅂㄱ` _____
7. 무엇의 모양이나 상태, 성질 등이 달라짐. `ㅂㅎ` _____
8. 서로 달라 관련되는 것이 없음. `ㅂㄱ` _____
9. 원래의 상태나 모습으로 돌아가게 함. `ㅂㅇ` _____
10. 두 가지 이상을 하나로 합침. `ㅂㅎ` _____
11. 어떤 것이 있지 않음. `ㅂㅈ` _____
12. 바람직하지 못한 (것). `ㅂㅈㅈ` _____
13. 일정한 범위에 나뉘어 흩어져 있음. `ㅂㅍ` _____
14. 어떤 수량에 지나지 않은 상태이다. `ㅂㄱㅎㄷ` _____

여러분이 지난 14일 동안 매일 하나씩 공부했던 어휘들을 다시 보면서 정답을 확인해 보세요.
어휘의 뜻을 다시 확인하고 되새겨 본다면 여러분의 어휘력은 무한하게 확장될 거예요.
가족이나 친구들과도 함께 퀴즈를 풀면서 재미있게 어휘력을 키워 보세요.

11월 12일

22학년도 수능

전망 展望 (펼 전, 바랄 망)

1 어떤 곳을 멀리 바라봄. 또는 멀리 바라보이는 경치.
   예 **전망** 좋은 식당에서 저녁을 먹었다.

> 과학자들은 소금호수가 예상보다 훨씬 더 빠른 속도로 수위가 낮아지고 있다고 말하면서 이 속도라면 5년 안에 완전히 말라 버릴 것이라는 **전망**을 내놓았어요.
> 출처: 『똑똑한 초등신문 1』 p.204

🔍 어휘력 확장하기

전 展 펼 전

전개 | 자세한 내용이 진행되어 펼쳐져 나감.
전시 | 여러 가지 물품을 한곳에 벌여 놓고 보임.
전시회 | 여러 가지 물품을 차려 놓고 보여 주는 모임이나 행사.
발전 | 더 좋은 상태나 더 높은 단계로 나아감.

망 望 바랄 망

희망 | 앞일에 대하여 기대를 가지고 바람.
소망 | 어떤 일을 바람. 또는 바라는 그 일.
실망 | 기대하던 대로 되지 않아 희망을 잃거나 마음이 몹시 상함.
절망 | 바라볼 것이 없게 되어 모든 희망을 버림. 또는 그런 상태.

2월 16일

25학년도 수능

사건 事件 (일 사, 사건 건)

1 관심이나 주목을 끌 만한 일.
  예) 동네에서 놀라운 **사건**이 일어났다.

> 국내에서는 지난해에 이어 올해도 200억 마리 벌들의 집단 실종 **사건**이 벌어졌어요.
>
> 출처: 『똑똑한 초등신문 2』 p.164

🔍 어휘력 확장하기

사 事 일 사

사고 | 예상하지 못하게 일어난 좋지 않은 일.
사실 | 실제로 있었던 일이나 현재 일어나고 있는 일.
사정 | 일의 형편이나 이유.
농사 | 곡식이나 채소 등을 심고 기르고 거두는 일.

건 件 사건 건

물건 | 일정한 모양을 갖춘 어떤 물질.
용건 | 해야 할 일.
무조건 | 아무것도 따지지 않고, 특별한 이유나 조건 없이.

11월 11일

22학년도 수능

장착되다 裝着 (꾸밀 장, 붙을 착)

1 옷, 기구, 장비 등에 장치가 달리거나 붙여지다.
   예 새로 산 가방에는 도난 방지 스티커가 장착되어 있다.

배달 로봇이 스스로 움직일 수 있는 것은 로봇에 장착된 카메라와 라이다 센서 덕분이에요.

출처: 『똑똑한 초등신문 2』 p.144

어휘력 확장하기

장 裝 꾸밀 장

장식 | 아름답게 꾸밈. 또는 꾸미는 데 쓰이는 물건.
장신구 | 몸을 보기 좋게 꾸미는 데 쓰는 물건.
장치 | 일을 해낼 수 있도록 기계나 도구 등을 설치함. 또는 그 기계.
장비 | 어떤 일을 하기 위하여 갖추어야 할 물건이나 시설.
포장 | 물건을 싸거나 꾸림. 또는 싸거나 꾸리는 데 사용하는 재료.
가장하다 | 태도를 거짓으로 꾸미다.

착 着 붙을 착

착용 | 옷이나 신발 등을 입거나 신거나 함.
착륙 | 비행기 등이 공중에서 땅에 내림.

2월 17일

25학년도 수능

사상 思想 (생각 사, 생각 상)

1 어떠한 사물에 대하여 가지고 있는 구체적인 사고나 생각.
  예 이번 전시를 통해 조상들의 생활과 **사상**을 알 수 있었다.

> 민족주의는 민족의 독립과 통일을 가장 중시하는 **사상**을 말해요.
> 출처: 『똑똑한 초등신문 2』 p.237

🔍 어휘력 확장하기

사 思 생각 사

사고방식 | 어떤 문제에 대하여 생각하는 방법이나 태도.
사춘기 | 12~18세 정도로 육체적, 정신적으로 성인이 되어가는 시기.
사고력 | 어떤 것에 대해 깊이 생각하는 힘.
사색 | 어떤 것에 대하여 깊이 생각하고 그 근본 뜻을 찾음.

상 想 생각 상

예상 | 앞으로 있을 일이나 상황을 짐작함. 또는 그런 내용.
환상 | 현실성이나 가능성이 없는 헛된 생각.
가상 | 사실이 아닌 것을 지어내어 사실처럼 생각함.

11월 10일

일치 一致 (하나 일, 이를 치)

22학년도 수능

1 비교되는 대상이 서로 다르지 않고 꼭 같거나 들어맞음.
  예 우리가 같은 옷을 입고 온 것은 우연의 **일치**이다.

어휘력 확장하기

일 — 하나 일

일부 | 한 부분. 또는 전체 중에서 얼마.
일단 | 우선 먼저.
동**일** | 비교해 본 결과 별다른 차이점이 없이 똑같음.
통**일** | 나누어지거나 갈라진 것들을 합쳐서 하나가 되게 함.
제**일** | 여럿 중에서 첫째가는 것.
유**일** | 오직 하나만 있음.

치 致 이를 치

치명적 | 생명이 위험할 수 있는 것.
만장일**치** | 모든 사람의 의견이 같음.

2월 18일

25학년도 수능

삭제 削除 (깎을 삭, 덜 제)

1 없애거나 지움.
  예 **삭제**가 필요하다면 바로 지우겠습니다.

> 이 법안이 통과되면 아동·청소년 시기에 업로드된 게시물 중 지우고 싶은 게시물의 **삭제**를 요청할 수 있어요.
>
> 출처: 『똑똑한 초등신문 2』 p.61

🔍 어휘력 확장하기

삭 削 깎을 삭

삭감 | 깎아서 줄임.
삭발 | 머리털을 손에 잡히지 않을 정도로 아주 짧게 깎음. 또는 그 머리.
굴삭기 | 땅을 파고 판 흙을 운반하거나 건물 벽 등을 부술 때 쓰는 기계.

제 除 덜 제

제거 | 없애 버림.
제외 | 어떤 대상이나 셈에서 뺌.
면제 | 책임이나 의무에서 벗어나게 함.
해제 | 설치했거나 갖추어 차린 것 등을 풀어 없앰.

11월 9일

22학년도 수능

인정하다 認定 (알 인, 정할 정)

1 어떤 것이 확실하다고 여기거나 받아들이다.
   예) 나의 잘못을 **인정**한다.

> 그런데 대만 독립을 **인정해** 버리면 이곳저곳에서 자기들도 독립하겠다고 나설까 봐 걱정돼서 더 힘껏 막고 있어요.
> 출처: 『똑똑한 초등신문 1』 p.96

🔍 어휘력 확장하기

인 認 알 인

인식 | 무엇을 분명히 알고 이해함.
인지 | 어떤 사실을 확실히 그렇다고 여겨서 앎.

정 定 정할 정

정의 | 어떤 말이나 사물의 뜻을 명확히 밝혀 분명하게 정함. 또는 그 뜻.
정착 | 일정한 곳에 자리를 잡아 머물러 삶.
결정 | 무엇을 어떻게 하기로 분명하게 정함. 또는 그렇게 정해진 내용.
규정 | 규칙으로 정함. 또는 그렇게 정해 놓은 것.
고정 | 한번 정한 내용을 변경하지 않음.

2월 19일

25학년도 수능

상대적 相對的 (서로 상, 대답할 대, 과녁 적)

1 서로 맞서거나 비교되는 관계에 있는 (것).
  예 **상대적**으로 동생은 나보다 피아노를 잘 친다.

> 가축화 직후 고대 종보다 현대 종의 뇌 용적이 **상대적**으로 커진 건데요, 이는 사회 환경이 이전보다 더 복잡해졌고 이에 따라 개들이 더 많은 규칙과 기대에 부응해야 했기 때문이에요.
>
> 출처: 『똑똑한 초등신문 2』 p.128

🔍 어휘력 확장하기

상 相 서로 상

상대 | 서로 마주 대함. 또는 그런 대상.
상담 | 어떤 문제를 해결하기 위해 서로 이야기함.
상호 | 짝을 이루거나 관계를 맺고 있는 이쪽과 저쪽 모두.
상관없다 | 서로 관련이 없다.

대 對 대답할 대

대답 | 부르는 말에 대해 어떤 말을 함. 또는 그 말.
대화 | 마주 대하여 이야기를 주고받음. 또는 그 이야기.
대립 | 생각이나 의견, 입장이 서로 반대되거나 맞지 않음.

11월 8일 · 22학년도 수능

인상하다 引上 (끌인, 위상)

1 물건값이나 월급, 요금 등을 올리다.
   예) 카페가 커피 가격을 **인상**했다.

> 스리랑카는 IMF의 지원을 받기 위해서 전기요금을 66% **인상했다고** 했어요.
>
> 출처: 『똑똑한 초등신문 1』 p.43

🔍 어휘력 확장하기

인 引 끌 인

인용 | 남의 말이나 글을 자신의 말이나 글 속에 끌어 씀.
인계 | 일이나 물건, 사람 등을 넘겨주거나 넘겨받음.
견인 | 물체를 끌어당김.

상 上 위 상

상승 | 위로 올라감.
상체 | 사람의 몸이나 물체의 윗부분.
세상 | 지구 위 전체.
이상 | 수량이나 정도가 일정한 기준을 포함하여 그보다 많거나 나은 것.
금상첨화 | 비단 위에 꽃을 보탠다는 뜻으로 좋은 일에 좋은 일이 더 일어남.

2월 20일

25학년도 수능

상호 相互 (서로 상, 서로 호)

1 짝을 이루거나 관계를 맺고 있는 이쪽과 저쪽 모두.
  예 **상호** 간에 약속을 지키는 것이 중요하다.

문어가 조개껍데기나 진흙 덩어리를 던지는 행동은 우연히 한 것이 아니라 다른 문어와 **상호** 작용을 할 때 일어났다고 해요.

출처: 『똑똑한 초등신문 1』 p.146

🔍 어휘력 확장하기

상 相 서로 상

상관 | 남의 일에 간섭함.
상대 | 서로 마주 대함. 또는 그런 대상.
상담 | 어떤 문제를 해결하기 위해 서로 이야기함.
상관없다 | 서로 관련이 없다.

호 互 서로 호

호환하다 | 서로 바꾸다.

11월 7일

22학년도 수능

인류 人類 (사람 인, 무리 류)

---

1 전 세계의 모든 사람.
- 예 **인류**는 환경 보호에 힘써야 한다.

> 과학자들은 곤충이 사라지면 농업과 생태계에 이어 **인류**의 생존마저 위협받을 수 있다며 곤충들이 꽃을 찾아가지 못하는 현재 상황을 크게 우려하고 있어요.
>
> 출처: 『똑똑한 초등신문 2』 p.191

🔍 어휘력 확장하기

인 人 사람 인

- **인간** | 생각을 하고 언어와 도구를 사용하며 사회를 이루어 사는 존재.
- **인구** | 정해진 지역에 살고 있는 사람의 수.
- **인기** | 어떤 대상에 쏠리는 많은 사람들의 높은 관심이나 좋아하는 마음.
- **인사** | 만나거나 헤어질 때에 예의를 나타냄. 또는 그런 말이나 행동.
- **인형** | 사람이나 동물 모양으로 만든 장난감.

류(유) 類 무리 류(유)

- **유형** | 성질이나 특징, 모양 등이 비슷한 것끼리 묶은 하나의 무리.
- **유유상종** | 비슷한 특성을 가진 사람들끼리 서로 어울려 사귐.

2월 21일

25학년도 수능

생성되다 生成 (날 생, 이룰 성)

1 없던 사물이 새로 생겨나다.
  예) 음식을 골고루 먹어야 우리 몸에 필요한 영양소가 **생성**된다.

> 호르몬은 우리 몸에서 **생성되는** 화학 물질로, 다른 세포와 기관 사이에서 소통하는 메신저 역할을 해요.
>
> 출처: 『똑똑한 초등신문 2』 p.245

🔍 어휘력 확장하기

생 生 날 생

생일 | 사람이 세상에 태어난 날.
생활 | 사람이나 동물이 일정한 곳에서 살아감.
인생 | 사람이 세상을 살아가는 일.
생존 | 살아 있음. 또는 살아남음.

성 成 이룰 성

성장 | 사람이나 동물 등이 자라서 점점 커짐.
구성 | 몇 가지 요소들을 모아서 일정한 전체를 짜 이룸.
찬성 | 다른 사람의 의견이나 생각 등이 좋다고 인정해 뜻을 같이함.

11월 6일

22학년도 수능

유력하다 有力 (있을 유, 힘 력)

1 힘이나 재산이 있다.
   예 **유력**한 정치인이 선거에 나왔다.

🔍 어휘력 확장하기

유 有 있을 유

유명 | 이름이 널리 알려져 있음.
유망 | 앞으로 잘될 것 같은 희망이나 가능성이 있음.
유료 | 요금을 내게 되어 있음.
소유 | 자기의 것으로 가지고 있음. 또는 가지고 있는 물건.

력 力 힘 력

능력 | 어떤 일을 할 수 있는 힘.
출력 | 컴퓨터 등의 기기나 장치가 입력을 받아 일을 하고 밖으로 결과를 냄.
노력 | 어떤 목적을 이루기 위하여 힘을 들이고 애를 씀.
매력 | 사람의 마음을 강하게 끄는 힘.
시력 | 물체를 볼 수 있는 눈의 능력.
실력 | 어떤 일을 해낼 수 있는 능력.
입력 | 문자나 숫자 등의 정보를 컴퓨터가 기억하게 함.

2월 22일

25학년도 수능

생존　生存 (날 생, 있을 존)

1 살아 있음. 또는 살아남음.
   - 예) 지구온난화는 인간의 **생존**을 위협한다.

> 과학자들은 곤충이 사라지면 농업과 생태계에 이어 인류의 **생존**마저 위협받을 수 있다며 곤충들이 꽃을 찾아가지 못하는 현재 상황을 크게 우려하고 있어요.
>
> 출처: 『똑똑한 초등신문 2』 p.191

🔍 어휘력 확장하기

생　生 날 생

생활 | 사람이나 동물이 일정한 곳에서 살아감.
인생 | 사람이 세상을 살아가는 일.
생성 | 없던 사물이 새로 생겨남. 또는 사물이 생겨 이루어지게 함.

존　存 있을 존

존재 | 실제로 있음. 또는 그런 대상.
공존 | 두 가지 이상의 현상이나 성질, 사물이 함께 존재함.
보존 | 중요한 것을 잘 보호하여 그대로 남김.

11월 5일

22학년도 수능

외면하다 外面 (바깥 외, 낯 면)

1. 마주치기를 원하지 않아서 얼굴을 돌려 피하다.
   - 예 친구는 의도적으로 나를 외면했다.
2. 현실, 사실, 진리 등을 인정하지 않고 무시하다.
   - 예 이제 더 이상 현실을 외면하지 마라.

어휘력 확장하기

외 外 바깥 외

외모 | 사람의 겉으로 보이는 모양.
외식 | 음식을 집 밖에서 사 먹음. 또는 그런 식사.
외국 | 자기 나라가 아닌 다른 나라.
외출 | 집이나 회사 등에 있다가 할 일이 있어 밖에 나감.
외과 | 주로 수술로 몸의 상처나 내장 기관의 질병을 치료하는 의학 분야.
외교 | 다른 나라와 정치적, 경제적, 문화적 관계를 맺는 일.
외유내강 | 겉은 순하고 부드러워 보이지만 속은 곧고 굳셈.

면 面 낯 면

면접 | 서로 얼굴을 대하고 직접 만남.
면모 | 사람이나 사물의 겉모습.
면회 | 출입이 제한되는 곳에 찾아가서 그곳에 있는 사람을 만남.
대면 | 직접 얼굴을 보며 만남.
방면 | 어떤 장소나 지역이 있는 방향.

2월 23일

25학년도 수능

성립하다 成立 (이룰 성, 설 립)

1 일이나 관계 등이 제대로 이루어지다.
   예 계약을 **성립**한 후에 사업이 시작되었다.

🔍 어휘력 확장하기

성 　成 이룰 성

성공 | 원하거나 목적하는 것을 이룸.
성적 | 일이나 경기 등의 결과로 얻은 실적.
성인 | 어른이 된 사람.
성장 | 사람이나 동물 등이 자라서 점점 커짐.
구성 | 몇 가지 요소들을 모아서 일정한 전체를 짜 이룸.
찬성 | 다른 사람의 의견이나 생각 등이 좋다고 인정해 뜻을 같이함.

립(입) 　立 설 립(입)

입장 | 바로 눈앞에 처하고 있는 처지나 상황.
독립 | 남에게 의존하거나 매여 있지 않음.
대립 | 생각이나 의견, 입장이 서로 반대되거나 맞지 않음.

11월 4일

왜곡하다 歪曲 (비뚤 왜, 굽을 곡)

22학년도 수능

1 사실과 다르게 해석하거나 사실에서 멀어지게 하다.
   예 이 기사는 역사를 왜곡하고 있다.

🔍 어휘력 확장하기

곡 曲 굽을 곡

곡선 | 곧지 않고 굽은 선.
곡예 | 줄타기, 재주넘기 등과 같이 사람들을 즐겁게 하는 놀라운 재주와 기술.
곡해 | 남의 말이나 행동을 원래의 뜻과 다르게 이해함.
작곡 | 음악의 곡조를 짓는 일.
굴곡 | 이리저리 꺾이고 휘어서 구부러진 곳.
완곡하다 | 듣는 사람의 기분이 상하지 않도록 말하는 투가 부드럽다.
간곡하다 | 태도나 자세 등이 매우 간절하고 정성스럽다.
방방곡곡 | 모든 곳.

2월 24일

25학년도 수능

소멸 消滅 (꺼질 소, 멸망할 멸)

1 사라져 없어짐.
  예) 큰 불로 마을이 거의 **소멸** 상태가 되었다.

> 2750년에는 한국이 지구상 최초의 인구 **소멸** 국가가 될 수도 있다며 우려하는 학자도 있고요.
>
> 출처: 『똑똑한 초등신문 2』 p.56

🔍 어휘력 확장하기

소 消 꺼질 소

소화 | 먹은 음식물을 뱃속에서 분해하여 영양분으로 흡수함.
소독 | 병에 걸리는 것을 막기 위해 약품이나 열 등으로 균을 죽임.
소비 | 돈, 물건, 시간, 노력, 힘 등을 써서 없앰.
취소 | 이미 발표한 것을 거두어들이거나 약속한 것 또는 예정된 일을 없앰.
소방관 | 화재를 막거나 진압하는 일을 하는 공무원.

멸 滅 멸망할 멸

멸망 | 망하여 없어짐.
멸종 | 생물의 한 종류가 지구에서 완전히 없어짐.

11월 3일

22학년도 수능

영상 映像 (비출 영, 모양 상)

1 영화, 텔레비전 등의 화면에 나타나는 모습.
   예 CCTV **영상**으로 범인을 잡았다.

> 잠시도 스마트폰을 손에서 내려놓지 못하는 아이들이 크게 늘고 있고, 각종 **영상**에 빠진 아이들은 수업을 포함한 그 어떤 활동에도 흥미를 느끼지 못하고 있어요.
>
> 출처: 『똑똑한 초등신문 2』 p.75

🔍 어휘력 확장하기

영 映 비출 영

영화 | 일정한 의미를 갖고 움직이는 대상을 촬영하여 재현하는 종합 예술.
영상 | 영화, 텔레비전 등의 화면에 나타나는 모습.
상영 | 영화를 극장 등의 장소에서 화면으로 관객에게 보이는 일.
방영 | 텔레비전으로 방송을 내보냄.
반영 | 다른 사람의 의견이나 사실 등으로부터 영향을 받아 어떤 현상을 드러냄.

상 像 모양 상

상상력 | 실제로 경험하지 않거나 보지 않은 것을 생각해 내는 능력.
형상 | 사물의 생긴 모양이나 상태.

2월 25일

25학년도 수능

솔직하다   率直 (거느릴 솔, 곧을 직)

1 거짓이나 꾸밈이 없다.
  예) 나는 내 마음을 **솔직**하게 털어놓았다.

> 또한 페파는 자신의 감정을 **솔직하게** 표현할 줄 아는 아이라면서 자신감 있는 아이를 문제가 있다고 보면 안 된다고 주장했어요.
>
> 출처: 『똑똑한 초등신문 2』 p.83

🔍 어휘력 확장하기

솔   率 거느릴 솔

솔선수범 | 남보다 앞장서서 행동하여 다른 사람의 본보기가 됨.
경솔 | 말이나 행동이 조심성 없고 신중하지 못함.

직   直 곧을 직

직접 | 중간에 다른 사람이나 물건 등이 없이 바로 연결되는 관계.
직진 | 앞으로 곧게 나아감.
직관 | 생각하는 않고 대상을 접하여 바로 파악하는 작용.
직거래 | 물건을 팔 사람과 살 사람이 중개인 없이 직접 거래함.
직사각형 | 네 각이 모두 직각이고 가로와 세로 길이가 다른 사각형.

11월 2일

22학년도 수능

압력 壓力 (누를 압, 힘 력)

1 누르는 힘.
   - 예 풍선을 힘껏 누르면 풍선 내부의 **압력**이 높아진다.
2 어떤 요구에 따르도록 강요하는 힘.
   - 예 그 선수는 팀을 탈퇴하라는 외부의 **압력**을 받았다.

빙하는 수백에서 수천 년 동안 쌓인 눈이 얼음덩어리로 변하여 그 자체의 무게로 **압력**을 받아 이동하는 현상 또는 그 얼음덩어리를 빙하라고 말해요.

출처: 『똑똑한 초등신문 1』 p.180

🔍 어휘력 확장하기

압 壓 누를 압

압축 | 물질 등에 압력을 가하여 부피를 줄임.
강압 | 힘이나 권력으로 강제로 억누르는 것.
압박감 | 몸이나 마음이 내리누르는 답답한 느낌.

력 力 힘 력

능력 | 어떤 일을 할 수 있는 힘.
실력 | 어떤 일을 해낼 수 있는 능력.

2월 26일

25학년도 수능

수용하다 受容 (받을 수, 얼굴 용)

1 어떤 것을 받아들이다.
  예) 떡볶이를 먹으러 가자는 제안을 **수용**했다.

> 고구려와 백제는 신라보다 100여 년이나 앞선 시기에 불교를 국교로 받아들였어요. 고구려는 372년에, 백제는 384년에 불교를 **수용했죠**.
>
> 출처: 『똑똑한 역사신문 1』 p.79

🔍 어휘력 확장하기

 受 받을 수

수동적 | 스스로 움직이지 않고 남의 힘을 받아 움직이는 것.
수험생 | 시험을 치르는 학생.
수상 | 상을 받음.
수강 | 강의나 강습을 받음.
접수 | 신청이나 신고 등을 말이나 문서로 받음.

 容 얼굴 용

용모 | 사람의 얼굴 모양.
미용실 | 머리를 자르거나 염색, 파마, 화장 등을 해 주는 업소.

11월 1일

22학년도 수능

안목 眼目 (눈 안, 눈 목)

1 어떤 것의 가치를 판단하거나 구별할 수 있는 능력.
   예 그 사람은 가구를 고르는 안목이 뛰어나다.

🔍 어휘력 확장하기

안 眼 눈 안

안과 | 눈의 병을 치료하는 의학 분야. 또는 그 분야의 병원.
육안 | 안경이나 망원경, 현미경 등을 이용하지 않고 직접 보는 눈.
심미안 | 아름다움을 알아보는 안목.
주안점 | 가장 중요하게 여겨 살피는 점.
별안간 | 미처 생각할 틈도 없이 짧은 순간.
안하무인 | 세상에서 자기가 가장 잘난 듯이 남을 깔보고 업신여김.

목 目 눈 목

목격 | 어떤 일이나 일이 벌어진 현장을 눈으로 직접 봄.
목적 | 이루려고 하는 일이나 나아가고자 하는 방향.
주목 | 관심을 가지고 주의 깊게 살핌.
덕목 | 도덕적, 윤리적으로 실현해야 할 이상의 종류.
맹목적 | 사실을 옳게 보거나 판단하지 못한 채로 무조건 행동하는.

2월 27일

25학년도 수능

수호 守護 (지킬 수, 보호할 호)

1 지키고 보호함.
  예 그는 세계 평화의 **수호**를 위해 일했다.

> 수구다라니경을 자세히 살펴보면, 가운데 불교의 **수호**신이 신라 사람의 머리를 쓰다듬으며 복을 기원하는 장면이 그려져 있어요.
> 출처: 『똑똑한 초등신문 2』 p.208

🔍 어휘력 확장하기

수 守 지킬 수

수비 | 외부의 침략이나 공격을 막아 지킴.
수칙 | 지키도록 정한 규칙.
수위 | 학교, 아파트 등에서 사고가 일어나지 않게 살피고 지키는 사람.
준수 | 명령이나 규칙, 법률 등을 지킴.

호 護 보호할 호

간호 | 아픈 사람을 보살핌.
보호 | 위험하거나 곤란하지 않게 지키고 보살핌.
변호 | 다른 사람을 위해 감싸고 변명함.

11월

1. 안목
2. 압력
3. 영상
4. 왜곡하다
5. 외면하다
6. 유력하다
7. 인류
8. 인상하다
9. 인정하다
10. 일치
11. 장착되다
12. 전망
13. 정보
14. 제도
15. 어휘 퀴즈
16. 조화롭다
17. 주관
18. 중대하다
19. 초과
20. 최적
21. 추정하다
22. 타당하다
23. 탁월하다
24. 통용
25. 폐허
26. 합성
27. 개성
28. 경향
29. 긴밀하다
30. 어휘 퀴즈

초성으로 맞히는 어휘 퀴즈

2월 28일

다음은 어떤 어휘의 뜻일까요? 어휘를 직접 써 보세요.

16 관심이나 주목을 끌 만한 일. `ㅅㄱ` _____

17 어떠한 사물에 대하여 가지고 있는 구체적인 사고나 생각. `ㅅㅅ`

_____

18 없애거나 지움. `ㅅㅈ` _____

19 서로 맞서거나 비교되는 관계에 있는 (것). `ㅅㄷㅈ` _____

20 짝을 이루거나 관계를 맺고 있는 이쪽과 저쪽 모두. `ㅅㅎ`

_____

21 없던 사물이 새로 생겨나다. `ㅅㅅㄷㄷ` _____

22 살아 있음. 또는 살아남음. `ㅅㅈ` _____

23 일이나 관계 등이 제대로 이루어지다. `ㅅㄹㅎㄷ` _____

24 사라져 없어짐. `ㅅㅁ` _____

25 거짓이나 꾸밈이 없다. `ㅅㅈㅎㄷ` _____

26 어떤 것을 받아들이다. `ㅅㅇㅎㄷ` _____

27 지키고 보호함. `ㅅㅎ` _____

여러분이 지난 12일 동안 매일 하나씩 공부했던 어휘들을 다시 보면서 정답을 확인해 보세요.
어휘의 뜻을 다시 확인하고 되새겨 본다면 여러분의 어휘력은 무한하게 확장될 거예요.
가족이나 친구들과도 함께 퀴즈를 풀면서 재미있게 어휘력을 키워 보세요.

초성으로 맞히는 어휘 퀴즈

10월 31일

다음은 어떤 어휘의 뜻일까요? 어휘를 직접 써 보세요.

16 어떤 일을 발전시키고 앞으로 밀고 나가는 힘. ㄷㄹ _____

17 일을 해결할 수 있는 방법이나 방향을 깊고 넓게 생각해서 찾다. ㅁㅅㅎㄷ _____

18 상황이나 사정이 바뀌어 달라짐. ㅂㄷ _____

19 원래와 다르게 바뀌다. 또는 다르게 하여 바꾸다. ㅂㅎㅎㄷ _____

20 가지고 있거나 간직하고 있다. ㅂㅇㅎㄷ _____

21 부족한 부분을 보태거나 고쳐서 바르게 함. ㅂㅈ _____

22 어떠한 사실이 틀림없고 확실하다. ㅂㅁㅎㄷ _____

23 더 잘 이해하기 위하여 어떤 현상이나 사물을 여러 요소나 성질로 나누다. ㅂㅅㅎㄷ _____

24 무너지고 깨짐. ㅂㄱ _____

25 어떤 일을 하는 데 드는 돈. ㅂㅇ _____

26 일이 진행되어 가는 형편이나 모양. ㅅㅎ _____

27 어떤 목적을 이루기 위하여 쓰는 방법이나 도구. ㅅㄷ _____

28 어떤 소비의 대상이 되는 상품에 대한 요구. ㅅㅇ _____

29 외국의 상품이나 기술 등을 국내로 사들임. ㅅㅇ _____

30 국내의 상품이나 기술을 외국으로 팔아 내보냄. ㅅㅊ _____

여러분이 지난 15일 동안 매일 하나씩 공부했던 어휘들을 다시 보면서 정답을 확인해 보세요.
어휘의 뜻을 다시 확인하고 되새겨 본다면 여러분의 어휘력은 무한하게 확장될 거예요.
가족이나 친구들과도 함께 퀴즈를 풀면서 재미있게 어휘력을 키워 보세요.

3월

1. 시급하다
2. 시행하다
3. 시찰하다
4. 실현
5. 억압
6. 여부
7. 역할
8. 예측
9. 오해하다
10. 용이하다
11. 위상
12. 위축되다
13. 유용하다
14. 인공
15. **어휘 퀴즈**
16. 자극
17. 자질
18. 작동
19. 잠재
20. 장점
21. 적극적
22. 적용하다
23. 전략
24. 전통
25. 절차
26. 정체성
27. 제거하다
28. 제시하다
29. 조정하다
30. 조직
31. **어휘 퀴즈**

10월 30일

22학년도 수능

수출 輸出 (나를 수, 날 출)

1 국내의 상품이나 기술을 외국으로 팔아 내보냄.
　예 우리나라의 주요 **수출** 품목은 무엇일까요?

게다가 탄소 국경세에 해당되는 6개 품목은 모두 우리나라의 기초 산업일 뿐만 아니라 대표적인 **수출** 품목이기 때문에, 여기에 세금이 많이 부과되면 손해를 입을지도 몰라요.

출처: 『똑똑한 초등신문 2』 p.182

어휘력 확장하기

수 輸 나를 수

수입 | 외국의 상품이나 기술 등을 국내로 사들임.
수송 | 기차, 자동차, 배, 비행기 등으로 사람이나 물건을 실어 옮김.
수혈 | 치료를 목적으로 건강한 사람의 피를 환자에게 옮겨 넣음.

출 出 날 출

출구 | 밖으로 나갈 수 있는 문이나 통로.
출근 | 일하러 직장에 나가거나 나옴.
일출 | 해가 떠오름.
출력 | 컴퓨터 등의 장치가 입력을 받아 일을 하고 밖으로 결과를 내는 일. 또는 그 결과.

3월 1일

25학년도 수능

시급하다 時急 (때 시, 급할 급)

1 시간적인 여유가 없이 몹시 급하다.
  예 **시급**한 일은 빨리 끝내야 한다.

교육 현장에서는 이미 스마트폰에 중독된 아이들이 많은 만큼 전 세계적인 추세에 따라 강제적인 스마트폰 규제가 **시급하다**는 목소리가 높아지고 있어요.

출처: 『똑똑한 초등신문 2』 p.75

🔍 어휘력 확장하기

시 時 때 시

시간 | 어떤 때에서 다른 때까지의 동안.
시대 | 역사적으로 어떤 특징을 기준으로 나눈 일정한 기간.
시기 | 어떤 일이나 현상이 진행되는 때.
시계 | 시간을 나타내는 기계.

급 急 급할 급

급증 | 짧은 기간 안에 갑자기 늘어남.
급격히 | 변화의 속도가 매우 빠르게.
구급차 | 생명이 위급한 환자를 신속하게 병원으로 실어 나르는 자동차.

10월 29일

수입 輸入 (나를 수, 들 입)

22학년도 수능

1 외국의 상품이나 기술 등을 국내로 사들임.
  예) 우리나라의 주요 수입 품목은 무엇일까요?

일본 민간단체는 바다를 핵 쓰레기장으로 만들지 말라며 반대 운동을 계속 이어가고 있고요, 중국은 일본산 수산물 수입을 금지하는 등 오염수 방류에 거세게 반발하고 있어요.

출처: 『똑똑한 초등신문 2』 p.94

어휘력 확장하기

수 輸 나를 수

수출 | 국내의 상품이나 기술을 외국으로 팔아 내보냄.
수혈 | 치료를 목적으로 건강한 사람의 피를 환자에게 옮겨 넣음.
수송 | 기차, 자동차, 배, 비행기 등으로 사람이나 물건을 실어 옮김.

입 入 들 입

입구 | 안으로 들어갈 수 있는 문이나 통로.
입학 | 학생이 되어 공부하기 위해 학교에 들어감.
구입 | 물건 등을 삼.
도입 | 지식, 기술, 물자 등을 들여옴.

3월 2일

25학년도 수능

시행하다 施行 (베풀 시, 다닐 행)

1 법률이나 명령 등을 일반 대중에게 알린 뒤에 실제로 행하다.
   예 전기 요금 인상을 이번 달부터 **시행**한다.

전 세계가 기후위기를 실감하며 온실가스를 줄이기 위해 노력하고 있는 가운데, 유럽연합(EU)은 2026년부터 '탄소 국경세'를 **시행하겠다고** 밝혔어요.

출처: 『똑똑한 초등신문 2』 p.183

어휘력 확장하기

시 施 베풀 시

실시 | 어떤 일이나 법, 제도 등을 실제로 행함.
시설 | 도구, 기계, 장치 따위를 베풀어 설비함. 또는 그런 설비.
시상 | 잘한 일이나 뛰어난 성적을 칭찬하는 상장, 상품 등을 줌.

행 行 다닐 행

행동 | 몸을 움직여 어떤 일이나 동작을 함.
수행 | 일을 생각하거나 계획한 대로 해냄.
행위 | 사람이 의지를 가지고 하는 짓.
행정 | 규정이나 규칙에 의하여 공적인 일들을 처리함.

10월 28일

22학년도 수능

수요 需要 (구할 수, 중요할 요)

1 어떤 소비의 대상이 되는 상품에 대한 요구.
- 예 시장은 수요와 공급의 원리에 따라 형성된다.

MS 최고경영자(CEO)는 팬데믹 중에는 고객들이 디지털 제품을 많이 샀지만, 이제는 경기침체와 더불어 전자제품에 대한 수요가 줄었다고 말했어요.

출처: 『똑똑한 초등신문 1』 p.21

 어휘력 확장하기

수 需 구할 수

필수품 | 일상생활에 없어서는 안 되는 반드시 필요한 물건.
성수기 | 상품을 사거나 서비스를 이용하려는 사람이 많은 시기.

요 要 중요할 요

요구 | 필요하거나 받아야 할 것을 달라고 청함.
요소 | 무엇을 이루는 데 반드시 있어야 할 중요한 성분이나 조건.
요약 | 말이나 글에서 중요한 것을 골라 짧게 만듦.
요청 | 필요한 일을 해 달라고 부탁함. 또는 그런 부탁.
필요 | 꼭 있어야 함.

3월 3일

시찰하다 視察 (볼 시, 살필 찰)

1 두루 돌아다니며 현장의 분위기나 사정을 살피다.
> 예) 산불로 피해를 입은 마을을 **시찰**하다.

25학년도 수능

어휘력 확장하기

시 視 볼 시

시각 | 무엇을 보고 이해하고 판단하는 관점.
시력 | 물체를 볼 수 있는 눈의 능력.
시청 | 텔레비전 방송을 눈으로 보고 귀로 들음.
무시 | 중요하게 생각하지 않음.

찰 察 살필 찰

경찰 | 사회의 질서를 지키고 국민의 안전과 재산을 보호하는 공무원.
관찰 | 사물이나 현상을 주의 깊게 자세히 살펴보다.
진찰 | 의사가 치료를 위하여 환자의 병이나 상태를 살피다.

10월 27일

22학년도 수능

수단 手段 (손 수, 구분 단)

1 어떤 목적을 이루기 위하여 쓰는 방법이나 도구.
  예 카드나 현금 중 원하는 결제 **수단**을 선택해 주세요.

유엔보고서에서는 가축에서 나오는 메탄가스 양은 전 세계 온실가스의 18%를 차지하며, 자동차를 포함한 교통**수단**이 배출하는 메탄가스의 양(13.5%)보다 많다고 밝히고 있어요.

출처: 『똑똑한 초등신문 2』 p.170

어휘력 확장하기

수 手 손 수

수건 | 몸, 얼굴, 손의 물기를 닦는 데 쓰는 천.
수술 | 병을 고치기 위하여 몸의 한 부분을 째고 자르거나 붙이고 꿰매는 일.
수첩 | 필요할 때 간단히 적기 위해 들고 다니는 작은 크기의 공책.
수공예 | 간단한 도구를 가지고 손으로 직접 만드는 공예.

단 段 구분 단

단계 | 일이 변화해 나가는 각 과정.
단락 | 진행되고 있는 일에서 일단 어느 정도 끝을 맺음.
계단 | 오르내리기 위해 작은 단들을 비스듬하게 차례로 이어 놓은 시설.
문단 | 글에서 여러 문장들이 모여 하나의 완결된 생각을 나타내는 단위.

3월 4일

25학년도 수능

실현 實現 (열매 실, 나타날 현)

1 꿈이나 계획 등을 실제로 이룸.
- 예) 내 꿈이 **실현**이 되었으면 좋겠다.

과학자들의 이 같은 아이디어가 **실현** 가능성이 있을지 아닐지 아직은 잘 몰라요.

출처: 『똑똑한 초등신문 2』 p.137

🔍 어휘력 확장하기

실 實 열매 실

실시 | 어떤 일이나 법, 제도 등을 실제로 행함.
실력 | 어떤 일을 해낼 수 있는 능력.
실습 | 배운 기술이나 지식을 실제로 해 보면서 익힘.

현 現 나타날 현

현실 | 현재 실제로 있는 사실이나 상태.
현금 | 물건을 사고팔 때, 그 자리에서 바로 치르는 물건값.
현재 | 지금 이때.
표현 | 느낌이나 생각 등을 말, 글, 몸짓 등으로 나타내어 겉으로 드러냄.

10월 26일

상황 狀況 (형상 상, 상황 황)

22학년도 수능

1 일이 진행되어 가는 형편이나 모양.
  예 명절 연휴라 교통 **상황**이 좋지 않다.

> 체리슈머는 마구 돈을 쓰거나 무조건 아끼는 것이 아닌, 자신이 원하는 제품이 있으면 자신의 **상황**에 맞추어 계획적으로 물건을 산다는 특징이 있어요.
>
> 출처: 『똑똑한 초등신문 1』 p.40

어휘력 확장하기

상 狀 형상 상

상태 | 사물이나 현상의 모양이나 형편.
상장 | 잘한 일에 대하여 칭찬하는 내용이 쓰인 공식적인 문서.
증상 | 병을 앓을 때 나타나는 여러 가지 상태.
실상 | 실제의 상태나 내용.

황 況 상황 황

근황 | 어떤 사람에 대한 요즈음의 상황.
불황 | 물가와 임금이 내리고 생산이 줄어들며 실업이 늘어나는 상태.
호황 | 경제 활동이 보통 이상으로 활발하게 이루어지는 상태.
성황리 | 모임 등에 사람이 많이 모여 활기차고 성대한 상황을 이룬 가운데.

3월 5일

25학년도 수능

억압 抑壓 (누를 억, 누를 압)

1 자유롭게 행동하지 못하도록 권력이나 세력을 이용해 강제로 억누름.
   예) **억압**과 차별에서 벗어나다.

> 프랑스 정부의 이번 정책은 무슬림들에 대한 차별이자, 자유의 **억압**이라는 비판의 목소리가 커지고 있어요.
>
> 출처: 『똑똑한 초등신문 2』 p.96

🔍 어휘력 확장하기

억 抑 누를 억

억제 | 감정이나 충동적 행동 등을 내리눌러서 일어나지 못하게 함.
억양 | 말소리의 높낮이를 변하게 함. 또는 그런 변화.
억울하다 | 잘못한 것도 없이 피해를 입어 속이 상하고 답답하다.

압 壓 누를 압

압력 | 누르는 힘.
압축 | 물질 등에 압력을 가하여 부피를 줄임.
압도적 | 뛰어난 힘이나 능력으로 상대방을 눌러 꼼짝 못 하게 하는 것.
위압적 | 두려움을 느끼게 하는 강력한 힘 등으로 정신적으로 내리누르는 것.

10월 25일

22학년도 수능

비용 費用 (쓸비, 쓸용)

1 어떤 일을 하는 데 드는 돈.
- 예) 바지 수선 **비용**이 작년에 비해 올랐다.

물가나 인건비가 올라 물건 생산 **비용**이 오르면 물건값이 오를 수밖에 없어요.

출처: 『똑똑한 초등신문 1』 p.36

어휘력 확장하기

비 費 쓸 비

경비 | 어떤 일을 하는 데 필요한 비용.
소비 | 돈, 물건, 시간, 노력, 힘 등을 써서 없앰.
식비 | 먹는 데 드는 돈.
낭비 | 돈, 시간, 물건 등을 헛되이 함부로 씀.
허비 | 아무 보람이나 이득이 없이 씀.
교통비 | 교통 기관을 이용하는 데 드는 비용.

용 用 쓸 용

용건 | 해야 할 일.
용도 | 쓰이는 곳이나 목적.

3월 6일

여부 與否 (더불 여, 아닐 부)

25학년도 수능

1 그러함과 그러하지 않음.
  예) 사실 **여부**를 확인하기 위해 조사를 진행했다.

> 가상이란 사실이 아니거나 사실 **여부**가 분명하지 않은 것을 사실이라고 가정하여 생각하는 것을 말한다.
>
> 출처: 『똑똑한 초등신문 2』 p.143

🔍 어휘력 확장하기

여 與 더불 여

여건 | 이미 주어진 조건.
참여 | 여러 사람이 같이 하는 일에 끼어들어 함께 일함.
관여 | 어떤 일에 관계하여 참여함.
급여 | 일한 대가로 받는 돈.

부 否 아닐 부

부정 | 그렇지 않다고 판단하여 결정하거나 옳지 않다고 반대함.
안부 | 편안하게 잘 지내고 있는지 그렇지 아니한지에 대한 소식.
왈가왈부 | 어떤 일에 대해 옳다거나 옳지 않다고 서로 말함.
가타부타 | 옳거나 그르다고, 또는 좋거나 싫다고 함.

10월 24일

붕괴   崩壞 (무너질 붕, 무너질 괴)

22학년도 수능

1 무너지고 깨짐.
- 예) 전문가들은 그 건물의 붕괴 위험을 알렸다.

지구 온도가 1.8도 이상 높아지면 빙상 붕괴가 시작될 것으로 전망해요. 이로 인해 2m가 넘는 해수면 상승이 예상된다고 밝혔어요.

출처: 『똑똑한 초등신문 1』 p.212

🔍 어휘력 확장하기

괴   壞 무너질 괴

괴혈병 | 비타민 C가 부족하여 잇몸이나 피부에서 피가 나며 빈혈이 나는 병.
파괴 | 때려 부수거나 깨뜨려 무너뜨림.

3월 7일

25학년도 수능

역할 役割 (부릴 역, 나눌 할)

1 맡은 일 또는 해야 하는 일.
  예) 모둠 숙제를 할 때는 각자의 **역할**을 해야 한다.

> 주문받고 음식을 가져다주는 **역할**을 모두 기계가 하게 되었기 때문이죠.
>
> 출처: 『똑똑한 초등신문 1』 p.35

🔍 어휘력 확장하기

역 役 부릴 역

악역 | 연극이나 영화 등에서 나쁜 사람으로 분장하는 배역.
배역 | 배우에게 역할을 나누어 맡기는 일. 또는 그 역할.
징역 | 죄인을 교도소에 가두어 두고 일을 시키는 형벌.

할 割 나눌 할

할인 | 정해진 가격에서 얼마를 뺌.
할부 | 돈을 여러 번에 나누어 냄.
할당 | 각자의 몫을 갈라 나눔. 또는 그 몫.
분할 | 여러 개로 쪼개어 나눔.

10월 23일

22학년도 수능

분석하다 分析 (나눌 분, 가를 석)

1 더 잘 이해하기 위하여 어떤 현상이나 사물을 여러 요소나 성질로 나누다.
   예 틀린 문제를 **분석**하여 확실하게 이해했다.

> 그런데 최근 토성을 **분석한** 결과, 토성의 고리는 1~2억 년 전에 위성이 파괴되면서 만들어진 것이라는 연구 결과가 나왔어요.
>
> 출처: 『똑똑한 초등신문 1』 p.158

🔍 어휘력 확장하기

 分 나눌 분

분리 | 서로 나뉘어 떨어짐. 또는 그렇게 되게 함.
분야 | 사회 활동을 어떠한 기준에 따라 나눈 범위나 부분 중의 하나.
분담 | 일이나 책임 등을 나누어 맡음.
분배 | 몫에 따라 나눔.
분단 | 본래 하나였던 것이 둘 이상으로 나누어짐.
분류 | 여럿을 종류에 따라서 나눔.
분수 | 어떤 수를 다른 수로 나눈 것을 분자와 분모로 나타낸 것.
분포 | 일정한 범위에 나뉘어 흩어져 있음.
구분 | 어떤 기준에 따라 전체를 몇 개의 부분으로 나눔.
분명하다 | 어떠한 사실이 틀림없고 확실하다.

3월 8일

25학년도 수능

예측 豫測 (미리 예, 잴 측)

1 앞으로의 일을 미리 추측함.
  예) 모두의 **예측**을 뒤엎은 일이었다.

지구 곳곳에 극심한 더위와 홍수, 가뭄 등이 발생할 수 있다는 **예측**이 나오고 있어요.

출처: 『똑똑한 초등신문 2』 p.162

🔍 어휘력 확장하기

예 豫 미리 예

예약 | 자리나 방, 물건 등을 사용하기 위해 미리 약속함.
예습 | 앞으로 배울 것을 미리 공부함
예방 | 병이나 사고 등이 생기지 않도록 미리 막음.
예매 | 차표나 입장권 등을 정해진 때가 되기 전에 미리 사 둠.
예감 | 무슨 일이 생길 것 같은 느낌.

측 測 잴 측

측정 | 일정한 양을 기준으로, 같은 종류의 다른 양의 크기를 잼.
추측 | 어떤 사실을 통해서 다른 무엇을 미루어 짐작함.
측우기 | 조선 시대에 만든, 비가 내린 양을 재는 기구.

10월 22일

22학년도 수능

분명하다 分明 (나눌 분, 밝을 명)

1 어떠한 사실이 틀림없고 확실하다.
  예) 기다리다 보면 답장이 올 게 분명하다.

> 지구온난화로 인한 해수면 상승은 세계적인 재난이 될 것임이 분명해요.
>
> 출처: 『똑똑한 초등신문 1』 p.213

🔍 어휘력 확장하기

분 分 나눌 분

분류 | 여럿을 종류에 따라서 나눔.
분수 | 어떤 수를 다른 수로 나눈 것을 분자와 분모로 나타낸 것.
분포 | 일정한 범위에 나뉘어 흩어져 있음.
구분 | 어떤 기준에 따라 전체를 몇 개의 부분으로 나눔.

명 明 밝을 명

명확하다 | 분명하고 확실하다.
명백하다 | 매우 분명하고 확실하다.
명랑 | 유쾌하고 활발함.
명도 | 색의 밝고 어두운 정도.

3월 9일

25학년도 수능

오해하다 誤解 (그릇할 오, 풀 해)

1 어떤 것을 잘못 알거나 잘못 해석하다.
  예) 친구의 말을 **오해**했다.

> 사람들이 유통기한이 지난 식품을 상했다고 **오해하기** 때문이에요.
>
> 출처: 『똑똑한 초등신문 1』 p.32

🔍 어휘력 확장하기

오 誤 그릇할 오

오류 | 잘못이나 실수.
착오 | 착각을 하여 생각이나 행동을 잘못함. 또는 그런 잘못.

해 解 풀 해

해결 | 사건이나 문제, 일 등을 잘 처리해 끝을 냄.
해방 | 자유를 억압하는 것으로부터 벗어나게 함.
해석 | 문장으로 표현된 내용을 이해하고 설명함. 또는 그 내용.
해설 | 문제나 사건의 내용 등을 알기 쉽게 풀어 설명함. 또는 그런 글이나 책.
해답 | 질문이나 문제를 풀이함. 또는 그런 것.
해명 | 이유나 내용 등을 풀어서 밝힘.

10월 21일

22학년도 수능

보정 補正 (기울 보, 바를 정)

1 부족한 부분을 보태거나 고쳐서 바르게 함.
  예 사진은 색감 **보정** 후에 드리겠습니다.

> 또한 호암미술관과 리움미술관은 색맹·색약 관람객의 관람을 돕는 보정 안경을 비치했어요.
>
> 출처: 『똑똑한 초등신문 2』 p.206

어휘력 확장하기

보 補 기울 보

보조 | 모자라는 것을 보태어 도움.
보충 | 부족한 것을 보태어 채움.
보상 | 발생한 손실이나 손해를 갚음.
보약 | 몸의 기운을 높여 주고 건강하도록 도와주는 약.
보완 | 모자라거나 부족한 것을 보충하여 완전하게 함.

정 正 바를 정

정답 | 어떤 문제나 질문에 대한 옳은 답.
정상 | 특별히 바뀌어 달라진 것이나 탈이 없이 제대로인 상태.

3월 10일

25학년도 수능

용이하다 容易 (얼굴 용, 쉬울 이)

1 어렵지 아니하고 매우 쉽다.
   예) 관리가 **용이**하다.

🔍 어휘력 확장하기

용 容 얼굴 용

용모 | 사람의 얼굴 모양.
용서 | 잘못에 대해 꾸중이나 벌을 주지 않고 너그럽게 덮어 줌.
수용 | 어떤 것을 받아들임.
미용실 | 머리를 자르거나 염색, 파마, 화장 등을 해 주는 업소.
형용사 | 사람이나 사물의 성질이나 상태를 나타내는 품사.

이 易 쉬울 이

난이도 | 공부, 시험 문제, 운동, 기술 등의 어렵고 쉬운 정도.
평이하다 | 까다롭거나 어렵지 않고 쉽다.

10월 20일

22학년도 수능

보유하다 保有 (보전할 보, 있을 유)

1 가지고 있거나 간직하고 있다.
  예 그는 빌딩을 보유하고 있다.

이로써 한국은 1995년 '석굴암·불국사' 등이 세계유산에 등재된 것을 시작으로 총 16건(문화유산 14건, 자연유산 2건)의 세계유산을 보유하게 됐어요.

출처: 『똑똑한 초등신문 2』 p.203

어휘력 확장하기

보 保 보전할 보

보안 | 중요한 정보 등이 빠져나가지 않도록 안전한 상태로 보호함.
보존 | 중요한 것을 잘 보호하여 그대로 남김.
보전 | 변하는 것이 없도록 잘 지키고 유지함.
보호 | 위험하거나 곤란하지 않게 지키고 보살핌.
보건 | 병의 예방이나 치료 등을 통해 건강을 잘 지킴.

유 有 있을 유

유명 | 이름이 널리 알려져 있음.
유망 | 앞으로 잘될 것 같은 희망이나 가능성이 있음.
소유 | 자기의 것으로 가지고 있음. 또는 가지고 있는 물건.

3월 11일

위상 位相 (자리 위, 서로 상)

25학년도 수능

1 어떤 사물이 다른 사물과의 관계 속에서 가지는 위치나 상태.
  예) 선수들은 올림픽 대회에서 한국 스포츠의 **위상**을 높였다.

하루가 달리 높아지는 한국의 **위상**, 앞으로도 기대가 돼요.
출처: 『똑똑한 초등신문 1』 p.99

이로써 인도는 우주 분야 초강대국으로서의 **위상**을 다질 수 있게 됐어요.
출처: 『똑똑한 초등신문 2』 p.101

🔍 어휘력 확장하기

위 位 자리 위

위치 | 일정한 곳에 자리를 차지함. 또는 그 자리.
부위 | 몸의 전체에서 어느 특정 부분이 있는 위치.
지위 | 사회적 신분에 따른 계급이나 위치.
품위 | 사람이 갖추어야 할 위엄이나 기품.

상 相 서로 상

상대 | 서로 마주 대함. 또는 그런 대상.
상담 | 어떤 문제를 해결하기 위해 서로 이야기함.

10월 19일

22학년도 수능

변환하다 變換 (변할 변, 바꿀 환)

1 원래와 다르게 바뀌다. 또는 그렇게 바꾸다.
  - 예) 목소리를 문자로 **변환**해 주는 프로그램이 있다.

> 기존의 화석연료를 재활용하거나 다시 쓸 수 있는 에너지를 **변환**시켜 이용하는 에너지로 태양 에너지, 지열 에너지, 해양 에너지, 바이오 에너지 등이 있어요.
>
> 출처: 『똑똑한 초등신문 1』 p.160

🔍 어휘력 확장하기

변 變 변할 변

변동 | 상황이나 사정이 바뀌어 달라짐.
변경 | 다르게 바꾸거나 새롭게 고침.
돌변 | 어떤 일이나 상황이 예상하지 못한 방향으로 갑자기 변함.
변화 | 무엇의 모양이나 상태, 성질 등이 달라짐.
변덕스럽다 | 말이나 행동, 감정 등이 이랬다저랬다 자주 변한다.

환 換 바꿀 환

환전 | 한 나라의 화폐를 다른 나라의 화폐와 맞바꿈.
교환 | 무엇을 다른 것으로 바꿈.
환절기 | 계절이 바뀌는 시기.

3월 12일

25학년도 수능

위축되다   萎縮 (시들 위, 오그라들 축)

1 어떤 힘에 눌려 기를 펴지 못하게 되다.
   예) 저번 실수로 자신감이 **위축**되었다.

> 불황기는 경기가 좋지 않아 경제 활동이 **위축된** 시기를 말한다.
> 출처: 『똑똑한 초등신문 2』 p.47

어휘력 확장하기

축   縮 오그라들 축

축소 | 수량, 부피, 규모 등을 줄여서 작게 함.
단축 | 시간, 거리 등을 줄임.
농축 | 어떤 물질의 성분들 중 일부를 없애 그 성질을 진하게 함.
수축 | 줄어들거나 오그라들어 크기가 작아짐.
감축 | 어떤 것의 수나 양을 줄임.
압축 | 물질 등에 압력을 가하여 부피를 줄임.
신축성 | 물체가 늘어나고 줄어드는 성질.
긴축 정책 | 국가 예산을 최소한으로 줄이는 정책.

10월 18일

22학년도 수능

변동 變動 (변할 변, 움직일 동)

1 상황이나 사정이 바뀌어 달라짐.
- 예 일정에 **변동**이 생긴다면 말해 주세요.

정부와 중앙은행은 경기 변동이 발생하면 이를 원래대로 되돌려 놓으려고 갖가지 정책을 성급하게 시행해요.

출처: 『똑똑한 초등신문 2』 p.45

어휘력 확장하기

변 變 변할 변

변경 | 다르게 바꾸거나 새롭게 고침.
돌변 | 어떤 일이나 상황이 예상하지 못한 방향으로 갑자기 변함.
변화 | 무엇의 모양이나 상태, 성질 등이 달라짐.

동 動 움직일 동

활동 | 몸을 움직여 행동함.
작동 | 기계 등이 움직여 일함. 또는 기계 등을 움직여 일하게 함.
동영상 | 흔히 컴퓨터로 보는 움직이는 화면.
능동적 | 자기 스스로 판단하여 적극적으로 움직이는 것.

3월 13일

유용하다 有用 (있을 유, 쓸 용)

25학년도 수능

1 쓸모가 있다.
> 예) 이 책에는 **유용**한 정보가 많다.

> 탄소 포집은 발전소 등에서 대량 발생하는 탄소를 모아서 압축하고 수송 과정을 거쳐 땅속에 저장하거나 **유용**한 물질로 사용하는 기술을 말해요.
>
> 출처: 『똑똑한 초등신문 2』 p.249

🔍 어휘력 확장하기

유 有 있을 유

고유 | 본래부터 지니고 있는 특별한 것.
유망 | 앞으로 잘될 것 같은 희망이나 가능성이 있음.
소유 | 자기의 것으로 가지고 있음. 또는 가지고 있는 물건.
유권자 | 선거할 권리를 가진 사람.

용 用 쓸 용

용돈 | 개인이 여러 용도로 자유롭게 쓸 수 있는 돈.
용어 | 어떤 분야에서 전문적으로 사용하는 말.
사용 | 무엇을 필요한 일이나 기능에 맞게 씀.

10월 17일

모색하다 摸索 (본뜰 모, 찾을 색)

22학년도 수능

1. 일을 해결할 수 있는 방법이나 방향을 깊고 넓게 생각해서 찾다.
   - 예) 하루빨리 해결책을 **모색**해야 한다.

🔍 어휘력 확장하기

모 摸 본뜰 모

모방 | 다른 것을 본뜨거나 남의 행동을 흉내 냄.
암중모색 | 물건 등을 어둠 속에서 더듬어 찾음.

색 索 찾을 색

검색 | 책이나 컴퓨터에서 필요한 자료를 찾아내는 것.
사색 | 어떤 것에 대하여 깊이 생각하고 그 근본 뜻을 찾음.
수색 | 구석구석 뒤져서 사람이나 물건 등을 찾음.
색출 | 숨어 있는 사람이나 숨긴 물건 등을 샅샅이 뒤져서 찾아냄.
탐색 | 알려지지 않은 사물이나 현상을 찾아내기 위해 살피어 찾음.

3월 14일

25학년도 수능

인공 人工 (사람 인, 장인 공)

1 자연적인 것이 아니라 사람의 힘으로 만들어 낸 것.
　예) 우리 동네에는 **인공**호수가 있다.

인공위성이 많아지면서 우주쓰레기도 점차 늘어가고 있어요.
　　　　　　　　　　　　　　출처: 『똑똑한 초등신문 1』 p.173

인공지능 기술이 하루가 다르게 발전해나가고 있어요.
　　　　　　　　　　　　　　출처: 『똑똑한 초등신문 2』 p.76

🔍 어휘력 확장하기

인   人 사람 인

인간 | 생각을 하고 언어와 도구를 사용하며 사회를 이루어 사는 존재.
인기 | 어떤 대상에 쏠리는 많은 사람들의 높은 관심이나 좋아하는 마음.
인사 | 만나거나 헤어질 때에 예의를 나타냄. 또는 그런 말이나 행동.

공   工 장인 공

공부 | 학문이나 기술을 배워서 지식을 얻음.
공장 | 원료나 재료를 가공하여 물건을 만들어 내는 곳.
공사 | 시설이나 건물 등을 새로 짓거나 고침.

10월 16일

22학년도 수능

동력 動力 (움직일 동, 힘 력)

1. 수력, 전력, 화력, 원자력, 풍력 등을 사람이 쓸 수 있도록 바꾼 기계적인 에너지.
   - 예) 태양광 발전기로 모은 햇볕을 **동력**으로 사용한다.
2. 어떤 일을 발전시키고 앞으로 밀고 나가는 힘.
   - 예) 규칙적인 습관은 건강한 삶의 **동력**이다.

🔍 어휘력 확장하기

동 動 움직일 동

- **동기** | 어떤 일이나 행동을 하게 되는 원인이나 기회.
- **동원** | 어떤 목적을 이루려고 사람이나 물건, 방법 등을 한데 모음.
- **동작** | 몸이나 손발 등을 움직임. 또는 그런 모양.
- **행동** | 몸을 움직여 어떤 일이나 동작을 함.
- **활동** | 몸을 움직여 행동함.

력(역) 力 힘 력(역)

- **압력** | 누르는 힘.
- **역동적** | 힘차고 활발하게 움직이는 것.
- **역량** | 어떤 일을 해낼 수 있는 힘과 능력.
- **역도** | 누가 더 무거운 역기를 들어 올리는지 겨루는 경기.
- **능력** | 어떤 일을 할 수 있는 힘.
- **노력** | 어떤 목적을 이루기 위하여 힘을 들이고 애를 씀.

초성으로 맞히는 어휘 퀴즈

3월 15일

다음은 어떤 어휘의 뜻일까요? 어휘를 직접 써 보세요.

1. 시간적인 여유가 없이 몹시 급하다. `ㅅㄱㅎㄷ` _____

2. 법률이나 명령 등을 일반 대중에게 알린 뒤에 실제로 행하다. `ㅅㅎㅎㄷ` _____

3. 두루 돌아다니며 현장의 분위기나 사정을 살피다. `ㅅㅊㅎㄷ` _____

4. 꿈이나 계획 등을 실제로 이룸. `ㅅㅎ` _____

5. 자유롭게 행동하지 못하도록 권력이나 세력을 이용해 강제로 억누름. `ㅇㅇ` _____

6. 그러함과 그러하지 않음. `ㅇㅂ` _____

7. 맡은 일 또는 해야 하는 일. `ㅇㅎ` _____

8. 앞으로의 일을 미리 추측함. `ㅇㅊ` _____

9. 어떤 것을 잘못 알거나 잘못 해석하다. `ㅇㅎㅎㄷ` _____

10. 어렵지 아니하고 매우 쉽다. `ㅇㅇㅎㄷ` _____

11. 어떤 사물이 다른 사물과의 관계 속에서 가지는 위치나 상태. `ㅇㅅ` _____

12. 어떤 힘에 눌려 기를 펴지 못하게 되다. `ㅇㅊㄷㄷ` _____

13. 쓸모가 있다. `ㅇㅇㅎㄷ` _____

14. 자연적인 것이 아니라 사람의 힘으로 만들어 낸 것. `ㅇㄱ` _____

여러분이 지난 14일 동안 매일 하나씩 공부했던 어휘들을 다시 보면서 정답을 확인해 보세요.

초성으로 맞히는 어휘 퀴즈

10월 15일

다음은 어떤 어휘의 뜻일까요? 어휘를 직접 써 보세요.

1. 모양이나 규모 등을 원래보다 더 크게 하다. `ㅎㄷㅎㄷ` _____
2. 확실히 가지고 있다. `ㅎㅂㅎㄷ` _____
3. 어떤 대상이 가지고 있는 쓰임이나 능력을 충분히 잘 이용하다. `ㅎㅇㅎㄷ` _____
4. 값이나 귀중한 정도. `ㄱㅊ` _____
5. 어떤 일을 맡아 자기 능력으로 해내다. `ㄱㄷㅎㄷ` _____
6. 어떤 일이 일어나거나 결정되도록 하는 원인이나 기회. `ㄱㄱ` _____
7. 요구나 필요에 따라 물건이나 돈 등을 제공함. `ㄱㄱ` _____
8. 수량이나 정도가 필요로 하는 것보다 지나치게 많아서 남음. `ㄱㅇ` _____
9. 나라와 나라 사이에 물건을 서로 사고팖. `ㄱㅇ` _____
10. 무엇을 다른 것으로 바꾸다. `ㄱㅎㅎㄷ` _____
11. 바르게 판단하고 이치에 맞게 생각하는 과정이나 원리. `ㄴㄹ` _____
12. 처리해야 할 일을 바로 앞에 만나다. `ㄷㅁㅎㄷ` _____
13. 생각이나 의견, 입장이 서로 반대되거나 맞지 않음. `ㄷㄹ` _____
14. 어떤 일이나 상황에 알맞게 행동을 하다. `ㄷㅇㅎㄷ` _____

여러분이 지난 14일 동안 매일 하나씩 공부했던 어휘들을 다시 보면서 정답을 확인해 보세요.
어휘의 뜻을 다시 확인하고 되새겨 본다면 여러분의 어휘력은 무한하게 확장될 거예요.
가족이나 친구들과도 함께 퀴즈를 풀면서 재미있게 어휘력을 키워 보세요.

3월 16일

25학년도 수능

자극 刺戟 (찌를 자, 갈라진 창 극)

1 사람이나 동물의 기관 등에 작용하여 반응을 일으키게 함. 또는 그런 작용을 하는 사물.
  예 맵고 짠 음식은 위에 **자극**을 준다.

감각이란 눈, 코, 귀, 혀, 살갗을 통하여 바깥의 어떤 **자극**을 알아차리는 것을 말해요.
출처: 『똑똑한 초등신문 1』 p.80

팝콘 브레인은 팝콘이 튀어 오르듯 디지털 기기의 강렬한 **자극**에만 반응할 뿐, 현실의 자극에는 무감각해지는 현상을 말해요.
출처: 『똑똑한 초등신문 2』 p.52

어휘력 확장하기

자 刺 찌를 자

풍자 | 남의 부족한 점을 다른 것에 빗대어 비웃으면서 폭로함.

극 戟 갈라진 창 극

자극적 | 어떤 반응이나 흥분을 일으키는.

10월 14일

대응하다 對應 (대답할 대, 응할 응)

22학년도 수능

1 어떤 일이나 상황에 알맞게 행동을 하다.
  예) 정부는 빠르게 **대응**하여 큰 피해를 막았다.

이처럼 위험이 들이닥칠 거라는 것을 미리 알았지만 이를 무시하거나 제대로 대응하지 못해 큰 위험에 처하는 상황을 '회색코뿔소'라고 해요.

출처: 『똑똑한 초등신문 1』 p.24

어휘력 확장하기

대 對 대답할 대

대립 | 생각이나 의견, 입장이 서로 반대되거나 맞지 않음.
대담 | 정해진 주제에 대해 서로 말을 주고받는 것. 또는 그 말.
대책 | 어려운 상황을 이겨 낼 수 있는 계획.
반대 | 어떤 것이 다른 것과 모양, 위치, 속성 등에서 완전히 다름.

응 應 응할 응

응급실 | 병원 등에서 응급 처치를 할 수 있는 시설을 갖추어 놓은 방.
응원 | 운동 경기 등에서 선수들을 격려하는 일.
응답 | 부름이나 물음에 답함.
반응 | 어떤 자극에 대하여 일정한 동작이나 태도를 보임.

3월 17일

25학년도 수능

자질 資質 (재물 자, 바탕 질)

1 타고난 성격이나 소질.
   - 예) 그는 어릴 때부터 대범한 **자질**이 보였다.
2 어떤 일에 대한 능력이나 실력.
   - 예) 회장으로서의 **자질**이 충분하다.

🔍 어휘력 확장하기

자 資 재물 자

자격 | 일정한 신분이나 지위.
자본 | 장사나 사업 등을 하는 데에 바탕이 되는 돈.
자원 | 사람이 생활하거나 경제적인 생산을 하는 데 이용되는 노동력이나 기술.

질 質 바탕 질

질문 | 모르는 것이나 알고 싶은 것을 물음.
물질 | 인간의 정신과 반대되는 개념으로 객관적으로 존재하는 실체.
본질 | 어떤 사물이 그 사물 자체가 되게 하는 원래의 특성.

10월 13일

22학년도 수능

대립 對立 (대답할 대, 설 립)

1 생각이나 의견, 입장이 서로 반대되거나 맞지 않음.
   예 동생과 의견 **대립**이 생기면 내가 양보한다.

🔍 어휘력 확장하기

대 對 대답할 대

대답 | 부르는 말에 대해 어떤 말을 함. 또는 그 말.
대화 | 마주 대하여 이야기를 주고받음. 또는 그 이야기.
대응 | 어떤 일이나 상황에 알맞게 행동을 함.
대담 | 정해진 주제에 대해 서로 말을 주고받는 것. 또는 그 말.
대책 | 어려운 상황을 이겨낼 수 있는 계획.
반대 | 어떤 것이 다른 것과 모양, 위치, 속성 등에서 완전히 다름.

립(입) 立 설 립(입)

입장 | 바로 눈앞에 처하고 있는 처지나 상황.
입춘 | 일 년 중 봄이 시작된다는 날로 이십사절기의 하나.
수립 | 국가, 정부나 제도, 계획 등을 세움.
건립 | 동상, 건물, 탑, 기념비 등을 만들어 세움.
입체 | 삼차원의 공간에서 여러 개의 평면이나 곡면으로 둘러싸인 부분.

3월 18일

작동 作動 (지을 작, 움직일 동)

25학년도 수능

1 기계 등이 움직여 일함. 또는 기계 등을 움직여 일하게 함.
  예) 엘리베이터의 **작동**이 갑자기 멈췄다.

> 세계 최초로 달의 남극에 착륙한 인도 달 탐사선 '찬드라얀 3호'의 착륙선과 탐사로봇이 **작동**을 멈추고 말았어요.
>
> 출처: 『똑똑한 초등신문 2』 p.100

🔍 어휘력 확장하기

작 作 지을 작

작곡 | 음악의 곡조를 짓는 일.
작용 | 어떠한 현상이나 행동을 일으키거나 영향을 줌.
습작 | 시, 소설, 그림 등을 연습으로 짓거나 그려 봄. 또는 그 작품.

동 動 움직일 동

동물 | 먹이로 영양분을 얻고 자유롭게 몸을 움직일 수 있는 생물.
동작 | 몸이나 손발 등을 움직임. 또는 그런 모양.
활동 | 몸을 움직여 행동함.
동영상 | 흔히 컴퓨터로 보는 움직이는 화면.

10월 12일

당면하다 當面 (마땅할 당, 낯 면)

22학년도 수능

1 처리해야 할 일을 바로 앞에 만나다.
  예) 당면한 문제를 우선적으로 해결하자.

🔍 어휘력 확장하기

당 當 마땅할 당

당일 | 바로 그날.
당첨 | 여럿 가운데 어느 하나를 골라잡는 추첨에서 뽑힘.
당국 | 어떤 일에 직접 관계가 있는 나라.
당락 | 선거, 시험 등에 붙는 것과 떨어지는 것.

면 面 낯 면

면담 | 고민이나 문젯거리를 가지고 서로 만나서 이야기함.
면도 | 얼굴이나 몸에 난 수염이나 잔털을 깎음.
면적 | 일정한 평면이나 곡면이 차지하는 크기.
면모 | 사람이나 사물의 겉모습.
면접 | 서로 얼굴을 대하고 직접 만남.
면회 | 출입이 제한되는 곳에 찾아가서 그곳에 있는 사람을 만남.
외면 | 마주치기를 원하지 않아서 얼굴을 돌려 피함.
대면 | 직접 얼굴을 보며 만남.

3월 19일

25학년도 수능

잠재 潛在 (자맥질할 잠, 있을 재)

1. 겉으로 드러나지 않고 속에 숨어 있음.
   - 예) 나는 무한한 **잠재** 가능성을 지녔다.

이는 어른이 되어서도 각자의 **잠재**력을 최대한 발휘할 수 있게 할 거라고 했어요.

출처: 『똑똑한 초등신문 1』 p.105

🔍 어휘력 확장하기

잠 潛 자맥질할 잠

잠재력 | 겉으로 드러나지 않고 속에 숨어 있는 힘.
잠복 | 드러나지 않게 숨음.
잠수 | 물속에 몸 전체가 잠기도록 들어감.
잠잠하다 | 분위기나 활동 등이 시끄럽지 않고 조용하다.
잠적하다 | 갈 곳을 알리지 않은 채 흔적을 남기지 않고 사라지다.

재 在 있을 재

재학 | 학교에 소속되어 있음.
존재 | 실제로 있음. 또는 그런 대상.

10월 11일

22학년도 수능

논리 論理 (논의할 논, 다스릴 리)

---

1 바르게 판단하고 이치에 맞게 생각하는 과정이나 원리.
  예) 이 글은 논리에 맞지 않다는 비난을 받았다.

> 챗GPT는 이전에 학습한 정보만을 토대로 결과물을 내기 때문에 앞으로 어떤 일이 있을지 전망하지 못하고 잘못된 대답을 하는 경우도 많아요. 또한 논리력이 떨어지기 때문에 사람의 역할을 완벽하게 대신할 수 없다고 해요.
>
> 출처: 『똑똑한 초등신문 1』 p.177

🔍 어휘력 확장하기

논(론) 論 논의할 논(론)

토론 | 어떤 문제에 대하여 여러 사람이 옳고 그름을 따지며 논의함.
논의 | 어떤 문제에 대해 서로 의견을 말하며 의논함.
의논하다 | 어떤 일에 대해 서로 의견을 나누다.

리(이) 理 다스릴 리(이)

이유 | 어떠한 결과가 생기게 된 까닭이나 근거.
이론 | 어떤 이치나 지식을 논리적으로 일반화한 명제의 체계.
심리 | 마음의 움직임이나 의식의 상태.
이해 | 무엇이 어떤 것인지를 앎. 또는 무엇이 어떤 것이라고 받아들임.

3월 20일

25학년도 수능

장점 長點 (길장, 점찍을점)

1 좋거나 잘하거나 바람직한 점.
  예 나만의 **장점**을 살리다.

> 이용자의 물음에 정확한 답만 찾아 주고 대화를 넘어서 문제 해결에 필요한 답까지 짚어 주는 것이 챗GPT의 가장 큰 **장점**이에요.
>
> 출처: 『똑똑한 초등신문 1』 p.166

🔍 어휘력 확장하기

장 長 길장

장수 | 오래 삶.
장거리 | 먼 거리.
가장 | 한 가족을 대표하고 책임지는 사람.
교장 | 초, 중, 고등학교에서 학교를 대표하는 직위.
성장 | 사람이나 동물 등이 자라서 점점 커짐.

점 點 점찍을 점

점수 | 성적을 나타내는 숫자.
점검 | 낱낱이 검사함. 또는 그런 검사.
관점 | 사물이나 현상을 보고 생각하는 개인의 입장 또는 태도.

10월 10일

22학년도 수능

교환하다 交換 (사귈 교, 바꿀 환)

1 무엇을 다른 것으로 바꾸다.
  예) 친구의 연필과 내 볼펜을 **교환**했다.

> 무역이란 나라 간의 물건을 사고팔고 **교환하는** 일이에요.
> 출처: 『똑똑한 초등신문 1』 p.22

🔍 어휘력 확장하기

교 交 사귈 교

교제 | 서로 사귀며 가깝게 지냄.
교감 | 말로 하지 않아도 서로의 감정이나 생각을 느낌.
교통 | 자동차, 기차, 배 등의 탈것을 이용하여 사람이나 짐이 오고 가는 일.
교류 | 시작하는 곳이 다른 물줄기가 서로 만나 섞여 흐름. 또는 그런 물줄기.
교체 | 사람이나 사물을 다른 사람이나 사물로 대신함.
교대 | 어떤 일을 여러 사람이 나누어서 차례를 바꾸어 가며 함.
관포지교 | 정이 두터운 친구 사이.

환 換 바꿀 환

환전 | 한 나라의 화폐를 다른 나라의 화폐와 맞바꿈.
환절기 | 계절이 바뀌는 시기.

3월 21일

적극적　積極的 (쌓을 적, 지극할 극, 과녁 적)

25학년도 수능

1 태도가 긍정적이고 능동적인 (것).
   예 그녀의 **적극적**인 태도는 칭찬할 만하다.

> 항생제 사용을 줄이고 환경문제를 **적극적**으로 해결해 나가려는 노력이 그 어느 때보다도 필요해요.
>
> 출처: 『똑똑한 초등신문 1』 p.211
>
> 한국의 급격한 인구 감소를 두고 **적극적**인 이민 정책을 통해 인구절벽의 문제를 해결해야 한다는 의견도 있어요.
>
> 출처: 『똑똑한 초등신문 2』 p.56

🔍 어휘력 확장하기

적　積 쌓을 적

적금 | 돈을 모음. 또는 그 돈.
적설량 | 땅 위에 쌓여 있는 눈의 양.
적재하다 | 물건이나 짐을 배 또는 차량 등의 운송 수단에 싣다.
누적하다 | 계속 반복되어 쌓이다. 또는 계속 반복하여 쌓다.

극　極 지극할 극

극단적 | 마음이나 행동이 한쪽으로 완전히 치우친 것.
극성 | 성질이나 행동, 태도가 매우 강하거나 지나치게 적극적임.

10월 9일

22학년도 수능

교역 交易 (사귈 교, 바꿀 역)

1 나라와 나라 사이에 물건을 서로 사고팖.
- 예) 세계화로 국가 간의 교역이 증가하고 있다.

> 세계 교역에 먹구름이 잔뜩 끼었어요. 나라 간 물건을 사고파는 양이 크게 줄었거든요.
>
> 출처: 『똑똑한 초등신문 2』 p.106

어휘력 확장하기

교 交 사귈 교

교통 | 자동차, 기차, 배 등의 탈것을 이용하여 사람이나 짐이 오가는 일.
교류 | 문화나 사상 등이 서로 오감.
교대 | 어떤 일을 여러 사람이 나누어서 차례를 바꾸어 가며 함.
교환 | 무엇을 다른 것으로 바꿈.
외교 | 다른 나라와 정치적, 경제적, 문화적 관계를 맺는 일.
교차로 | 여러 개의 도로가 서로 만나 엇갈리는 곳. 또는 서로 엇갈린 도로.

역 易 바꿀 역

무역 | 나라와 나라 사이에 서로 물건을 사고파는 일.
역지사지 | 서로의 입장을 바꿔서 생각해 봄.

3월 22일

25학년도 수능

적용하다 適用 (갈 적, 쓸 용)

1 필요에 따라 적절하게 맞추어 쓰거나 실시하다.
   예) 일상생활에 바로 **적용**할 수 있는 기술이다.

> 인공일반지능은 특정한 조건 내에서만 **적용할** 수 있는 인공지능과 달리 모든 상황에 두루 **적용할** 수 있는 AI를 말해요.
>
> 출처: 『똑똑한 초등신문 2』 p.80

어휘력 확장하기

적 適 갈 적

적당하다 | 기준, 조건, 정도에 알맞다.
적절하다 | 아주 딱 알맞다.
적응 | 어떠한 조건이나 환경에 익숙해지거나 알맞게 변화함.
적성 | 어떤 일에 알맞은 사람의 성격이나 능력.
적정 | 알맞고 바른 정도.

용 用 쓸 용

용건 | 해야 할 일.
용도 | 쓰이는 곳이나 목적.

10월 8일

22학년도 수능

과잉 過剩 (지날 과, 남을 잉)

---

1 수량이나 정도가 필요로 하는 것보다 지나치게 많아서 남음.
   예 아무리 좋은 음식이라도 **과잉** 섭취는 해롭다.

🔍 어휘력 확장하기

과 過 지날 과

과로 | 몸이 힘들 정도로 지나치게 일함. 또는 그로 인한 심한 피로.
과식 | 음식을 지나치게 많이 먹음.
과다 | 수나 양이 지나치게 많거나 어떤 일을 많이 함.
과보호 | 부모가 아이를 지나치게 감싸고 보호함.
과소비 | 돈이나 물품 따위를 지나치게 많이 써서 없애는 일.
간과 | 큰 관심 없이 대강 보고 그냥 넘김.

잉 剩 남을 잉

잉여 | 쓰고 난 후에 남은 것.
과잉보호 | 부모가 아이를 지나치게 감싸고 보호함.

3월 23일

25학년도 수능

전략 戰略 (싸울 전, 다스릴 략)

1. 정치, 경제 등의 사회적 활동을 하는 데 필요한 방법과 계획.
   - 예) 독서 **전략**에 대한 강의였다.

슈링크플레이션은 제품의 가격은 그대로 유지하는 대신 제품의 크기 및 중량을 줄여, 사실상 가격을 올리는 효과를 보려는 **전략**을 말해요.

출처: 『똑똑한 초등신문 2』 p.34

미국 대통령이 내놓는 정책에 따라 우리가 나아가야 할 방향과 **전략**이 달라지기 때문이에요.

출처: 『똑똑한 초등신문 2』 p.109

🔍 어휘력 확장하기

전 戰 싸울 전

- **전쟁** | 대립하는 나라나 민족이 군대와 무기를 사용하여 서로 싸움.
- **휴전** | 전쟁을 일정한 기간 동안 멈추는 일.

략(약) 略 다스릴 략(약)

- **대략** | 자세하지 않은 간단한 줄거리.
- **생략** | 전체에서 일부분을 줄이거나 빼어 짧게 또는 간단하게 만듦.
- **약도** | 간략하게 중요한 것만 그린 지도.

10월 7일

22학년도 수능

공급 供給 (이바지할 공, 줄 급)

1 요구나 필요에 따라 물건이나 돈 등을 제공함.
   예) 이번 달부터 무료 식사 **공급**이 시작된다.

> 전쟁 전 우크라이나와 러시아는 세계 곡물 수출의 4분의 1을 차지했기 때문에 우크라이나 곡물 수출이 줄어들면 세계 식량 **공급**에 영향을 미칠 수밖에 없어요.
>
> 출처: 『똑똑한 초등신문 1』 p.108

어휘력 확장하기

供 이바지할 공

제공 | 무엇을 내주거나 가져다줌.
공양 | 어른에게 좋은 음식을 대접하며 잘 모시는 것.

給 줄 급

급식 | 기관에서 일정한 대상에게 식사를 주는 것. 또는 그 식사.
급여 | 일한 대가로 받는 돈.
지급 | 돈이나 물건을 정해진 만큼 내줌.
발급 | 기관에서 증명서 등을 만들어 내줌.
월급 | 일한 대가로 한 달마다 지급하는 보수.

3월 24일

전통 傳統 (전할 전, 거느릴 통)

25학년도 수능

1. 전해 내려오면서 고유하게 만들어진 사상, 관습, 행동 등의 양식.
   - 예) 경복궁에 가면 **전통** 체험을 할 수 있다.

'히잡'은 이슬람 여성 **전통** 복장으로, '가리다'라는 뜻을 가져요.
출처: 『똑똑한 초등신문 1』 p.94

프랑스 교육부는 프랑스의 세속주의 원칙을 내세워 무슬림 **전통** 의상인 '아바야'를 학교에 입고 오면 안 된다고 했어요.
출처: 『똑똑한 초등신문 2』 p.96

🔍 어휘력 확장하기

전 傳 전할 전

- **전달** | 사물을 어떤 대상에게 전하여 받게 함.
- **전래** | 예로부터 전해 내려옴.
- **전염** | 병이 다른 사람에게 옮음.

통 統 거느릴 통

- **통일** | 나누어지거나 갈라진 것들을 합쳐서 하나가 되게 함.
- **통계** | 한데 몰아서 어림잡아 계산함.
- **통치** | 나라나 지역을 맡아 다스림.
- **통제** | 어떤 방침이나 목적에 따라 행위를 하지 못하게 막음.

10월 6일

22학년도 수능

계기 契機 (맺을 계, 틀 기)

1 어떤 일이 일어나거나 결정되도록 하는 원인이나 기회.
   예) 지난 경기에서 진 것은 더 열심히 연습하는 **계기**가 되었다.

> 이 사건을 계기로, 중국의 지나친 코로나 정책에 화가 난 사람들이 백지를 들고 시위에 나섰어요.
>
> 출처: 『똑똑한 초등신문 1』 p.102

🔍 어휘력 확장하기

계 契 맺을 계

계약 | 돈을 주고받는 거래에서 서로 지켜야 할 의무나 책임을 문서에 적어 약속함.

기 機 틀 기

기계 | 일정한 일을 하는 도구나 장치.
기회 | 어떤 일을 하기에 알맞은 시기나 경우.
기능 | 어떤 역할이나 작용을 함. 또는 그런 역할이나 작용.
기관 | 일정한 역할을 하거나 목적을 이루기 위해 설치한 기구나 조직.
기내 | 비행기의 안.
비행기 | 사람이나 물건을 싣고 하늘을 날아다니는 탈것.

3월 25일

25학년도 수능

절차 節次 (마디 절, 버금 차)

1 일을 해 나갈 때 거쳐야 하는 순서나 방법.
   예 비행기를 타려면 여러 **절차**를 거쳐야 한다.

> 선거란 투표를 통해 공직자나 대표자를 뽑는 의사를 결정하는 **절차**를 말해요.
>
> 출처: 『똑똑한 초등신문 2』 p.108

🔍 어휘력 확장하기

절 節 마디 절

절약 | 마구 쓰지 않고 꼭 필요한 데에만 써서 아낌.
절전 | 전기를 아껴 씀.
예절 | 사회생활에서 지켜야 하는 바르고 공손한 태도나 행동.

차 次 버금 차

차례 | 어떤 일을 하거나 어떤 일이 일어나는 순서.
점차 | 차례를 따라 나아감.
석차 | 성적에 의한 순서.

10월 5일

22학년도 수능

감당하다 堪當 (견딜 감, 마땅할 당)

1 어떤 일을 맡아 자기 능력으로 해내다.
  예) 그 일은 혼자서 **감당**하기 어렵다.

> 그러자 오른 임대료를 **감당하지** 못하고 기존 상인들이 지역을 떠나는 젠트리피케이션 현상이 나타나기 시작했어요.
>
> 출처: 『똑똑한 초등신문 2』 p.68

🔍 어휘력 확장하기

감 堪 견딜 감

감내하다 | 어려움을 참고 견디다.
난감하다 | 분명하게 마음을 정하기 어렵다.

당 當 마땅할 당

당선 | 선거에서 뽑힘.
당락 | 선거, 시험 등에 붙는 것과 떨어지는 것.
당첨 | 여럿 가운데 어느 하나를 골라잡는 추첨에서 뽑힘.
당국 | 어떤 일에 직접 관계가 있는 나라.
당연히 | 이치로 보아 마땅히 그렇다.
당분간 | 앞으로 얼마 동안.

3월 26일

정체성 正體性 (바를 정, 몸 체, 성품 성)

1 어떤 존재의 변하지 않는 원래의 특성을 깨닫는 성질. 또는 그 성질을 가진 존재.
- 예 다양한 경험은 자신의 **정체성**을 찾아가는 데 도움이 된다.

어휘력 확장하기

정 正 바를 정

정말 | 거짓이 없는 사실. 또는 사실과 조금도 틀림이 없는 말.
정문 | 사람이나 차들이 주로 드나드는, 건물의 정면에 있는 문.
정확 | 바르고 확실함.
정답 | 어떤 문제나 질문에 대한 옳은 답.
수정 | 잘못된 것을 바로잡거나 다듬어서 바르게 고침.

체 體 몸 체

체력 | 몸의 힘이나 기운.
체면 | 남을 대하기에 떳떳한 입장이나 얼굴.
체온 | 몸의 온도.
주체 | 어떤 단체나 물건의 중심이 되는 부분.
단체 | 같은 목적을 이루기 위해 모인 사람들의 조직.

10월 4일

22학년도 수능

가치 價值 (값 가, 값 치)

1 값이나 귀중한 정도.
  예) 오래된 미술 작품들의 **가치**는 값을 매길 수 없다.

인플레이션은 통화량이 팽창하여 화폐 **가치**가 떨어지고 물가가 계속 올라 일반 대중의 실질적 소득이 감소하는 현상을 말해요.

출처: 『똑똑한 초등신문 1』 p.45

어휘력 확장하기

가 價 값 가

가격 | 물건의 가치를 돈으로 나타낸 것.
가치관 | 사람이 어떤 것의 가치에 대해 가지는 태도나 판단의 기준.
물가 | 물건이나 서비스의 평균적인 가격.

치 值 값 치

수치 | 계산한 결과로 얻은 값이나 수.
평균치 | 수나 양, 정도의 중간값을 갖는 수.

3월 27일

25학년도 수능

제거하다 除去 (덜 제, 갈 거)

1 없애 버리다.
> 예) 방향제를 뿌려서 방 안의 냄새를 **제거**했다.

일본 정부는 오염수의 방사성 물질을 충분히 **제거했기** 때문에 바다로 흘려보내도 안정성에 문제가 전혀 없다는 입장이에요.

출처: 『똑똑한 초등신문 1』 p.120

어휘력 확장하기

제 除 덜 제

제외 | 어떤 대상이나 셈에서 뺌.
제설 | 쌓인 눈을 치움. 또는 그런 일.
삭제 | 없애거나 지움.
배제 | 받아들이거나 포함하지 않고 제외시켜 빼놓음.

거 去 갈 거

거래 | 돈이나 물건을 주고받거나 사고팖.
철거 | 건물이나 시설을 무너뜨려 없애거나 걷어치움.
수거 | 거두어 감.
과거 | 지나간 때.

10월 3일

23학년도 수능

활용하다 活用 (살 활, 쓸 용)

1 어떤 대상이 가지고 있는 쓰임이나 능력을 충분히 잘 이용하다.
  예) 두부는 각종 요리에 다양하게 **활용**할 수 있는 음식 재료이다.

유통업체들은 최근 너 나 할 것 없이 산리오, 슈퍼마리오, 도라에몽, 케로로 등의 캐릭터를 넣은 상품 패키지나 굿즈를 만들어내어 제품 판매에 적극적으로 **활용하고** 있어요.

출처: 『똑똑한 초등신문 2』 p.16

어휘력 확장하기

활 活 살 활

활동 | 몸을 움직여 행동함.
활기 | 활발한 기운.
활력 | 살아 움직이는 힘.
재활용 | 쓰고 버리는 물건을 다른 데에 다시 사용하거나 사용할 수 있게 함.
일상생활 | 특별한 일이 없는 보통 때의 생활.
활기차다 | 힘이 넘치고 생기가 가득하다.

용 用 쓸 용

용도 | 쓰이는 곳이나 목적.
사용 | 무엇을 필요한 일이나 기능에 맞게 씀.

3월 28일

25학년도 수능

제시하다 提示 (끌 제, 보일 시)

1 무엇을 하고자 하는 생각을 말이나 글로 나타내어 보이다.
   예) 문제를 해결할 수 있는 방법을 **제시**했다.
2 검사나 조사를 위하여 물품을 내어 보이다.
   예) 승무원에게 비행기 표를 **제시**했다.

어휘력 확장하기

제 提 끌 제

제공 | 무엇을 내주거나 가져다줌.
제안 | 의견이나 안건으로 내놓음.
제의 | 어떤 일을 권유하거나 함께 논의하기 위해 의견이나 안건을 내놓음.

시 示 보일 시

시범 | 모범이 되는 본보기를 보임.
전시 | 찾아온 사람들에게 보여 주도록 여러 가지 물품을 한곳에 차려 놓음.
게시판 | 알릴 내용을 여러 사람이 볼 수 있도록 붙여 두는 판.

10월 2일

23학년도 수능

확보하다 確保 (굳을 확, 보전할 보)

1 확실히 가지고 있다.
  예) 운전할 때는 안전거리를 **확보**해야 한다.

> 전기차 시대를 맞이하면서 세계 각국은 리튬을 확보하는 데 집중하고 있어요.
>
> 출처: 『똑똑한 초등신문 1』 p.114

어휘력 확장하기

확 確 굳을 확

확인 | 틀림없이 그러한지를 알아보거나 인정함.
확정 | 확실하게 정함.
정확 | 바르고 확실함.
확실히 | 실제와 꼭 같거나 틀림없이 그러하게.
확고하다 | 태도나 상황 등이 확실하고 굳세다.

보 保 보전할 보

보관 | 물건을 맡아 간직하여 둠.
보존 | 중요한 것을 잘 보호하여 그대로 남김.
보건 | 병의 예방이나 치료 등을 통해 건강을 잘 지킴.

3월 29일

25학년도 수능

조정하다 調整 (고를 조, 가지런할 정)

1 어떤 기준이나 상황에 맞게 바로잡아 정리하다.
예) 모임 시간을 오후 2시로 **조정**했다.

독점기업은 경쟁자가 없어 상품의 양을 마음대로 **조정해서** 가격을 결정할 수 있어요.

출처: 『똑똑한 초등신문 2』 p.228

🔍 어휘력 확장하기

조 調 고를 조

조사 | 어떤 일이나 사물을 알기 위하여 자세히 살펴보거나 찾아봄.
강조 | 어떤 것을 특히 두드러지게 하거나 강하게 주장함.
협조 | 힘을 합쳐 서로 조화를 이룸.
조절하다 | 균형에 맞게 바로잡거나 상황에 알맞게 맞추다.
조화롭다 | 서로 잘 어울리는 성질이 있다.

정 整 가지런할 정

정리 | 어수선한 상태에 있는 것을 한곳에 모으거나 치움.
정형외과 | 근육이나 뼈대 등의 상처나 질병을 치료하는 의학 분야.

10월 1일

23학년도 수능

확대하다 擴大 (넓힐 확, 큰 대)

1 모양이나 규모 등을 원래보다 더 크게 하다.
   예 사진을 **확대**하니 내 얼굴이 보였다.

> 어린이들의 생명을 구하고 보호하기 위해서는 인도주의적인 휴전을 서두르고 국제 사회는 구호 자금 지원을 하루 속히 **확대해야** 해요.
>
> 출처: 『똑똑한 초등신문 2』 p.111

🔍 어휘력 확장하기

확 擴 넓힐 확

확산 | 흩어져 널리 퍼짐.
확장 | 시설, 사업, 세력 등을 늘려서 넓힘.

대 大 큰 대

대기 | 지구를 둘러싸고 있는 모든 공기.
대회 | 많은 사람이 모이는 모임이나 회의.
대중 | 많은 사람들의 무리.
대부분 | 절반이 훨씬 넘어 전체에 가까운 수나 양.
대규모 | 어떤 것의 크기나 범위가 큼.
중대하다 | 몹시 중요하고 크다.

3월 30일

25학년도 수능

조직   組織 (짤 조, 짤 직)

1 어떤 목표를 이루기 위해 여럿이 모여 체계 있는 집단을 이룸. 또는 그 집단.
   예 회사에서의 **조직** 생활은 쉽지 않다.
2 천의 짜임새.
   예 옷감의 **조직**이 매우 촘촘하다.

10년 안에 나토와 큰 전쟁을 벌일 수도 있다고 하면서 14년 전 없어진 군사 **조직**을 다시 만들 계획이라고 밝혔어요.
출처: 『똑똑한 초등신문 2』 p.119

🔍 어휘력 확장하기

조   組 짤 조

조 | 적은 수의 사람들이 모인 집단을 세는 단위.
조장 | 한 조의 대표나 책임자.
조립 | 여러 부품을 일정한 방식으로 짜 맞추어 하나의 물건으로 만듦.
조합 | 여럿을 한데 모아 한 덩어리로 짬.

직   織 짤 직

모직 | 털실로 짠 천.
직녀 | 견우와 직녀 이야기에 나오는, 베를 짜는 일을 하는 여자.

10월

- ❶ 확대하다
- ❷ 확보하다
- ❸ 활용하다
- ❹ 가치
- ❺ 감당하다
- ❻ 계기
- ❼ 공급
- ❽ 과잉
- ❾ 교역
- ❿ 교환하다
- ⓫ 논리
- ⓬ 당면하다
- ⓭ 대립
- ⓮ 대응하다
- ⓯ **어휘 퀴즈**
- ⓰ 동력
- ⓱ 모색하다
- ⓲ 변동
- ⓳ 변환하다
- ⓴ 보유하다
- ㉑ 보정
- ㉒ 분명하다
- ㉓ 분석하다
- ㉔ 붕괴
- ㉕ 비용
- ㉖ 상황
- ㉗ 수단
- ㉘ 수요
- ㉙ 수입
- ㉚ 수출
- ㉛ **어휘 퀴즈**

초성으로 맞히는 어휘 퀴즈

3월 31일

다음은 어떤 어휘의 뜻일까요? 어휘를 직접 써 보세요.

16 사람이나 동물의 기관 등에 작용하여 반응을 일으키게 함. ㅈㄱ

17 타고난 성격이나 소질. ㅈㅈ

18 기계 등이 움직여 일함. ㅈㄷ

19 겉으로 드러나지 않고 속에 숨어 있음. ㅈㅈ

20 좋거나 잘하거나 바람직한 점. ㅈㅈ

21 태도가 긍정적이고 능동적인 (것). ㅈㄱㅈ

22 필요에 따라 적절하게 맞추어 쓰거나 실시하다. ㅈㅇㅎㄷ

23 정치, 경제 등의 사회적 활동을 하는 데 필요한 방법과 계획. ㅈㄹ

24 전해 내려오면서 고유하게 만들어진 사상, 관습, 행동 등의 양식. ㅈㅌ

25 일을 해 나갈 때 거쳐야 하는 순서나 방법. ㅈㅊ

26 어떤 존재의 변하지 않는 원래의 특성을 깨닫는 성질. ㅈㅊㅅ

27 없애 버리다. ㅈㄱㅎㄷ

28 무엇을 하고자 하는 생각을 말이나 글로 나타내어 보이다. ㅈㅅㅎㄷ

29 상황에 맞게 바로잡아 정리하다. ㅈㅈㅎㄷ

30 어떤 목표를 이루기 위해 여럿이 모여 체계 있는 집단을 이룸. ㅈㅈ

초성으로 맞히는 어휘 퀴즈

9월 30일

다음은 어떤 어휘의 뜻일까요? 어휘를 직접 써 보세요.

16 흐트러지거나 어수선한 상태에 있는 것을 한곳에 모으거나 치우다. `ㅈㄹㅎㄷ` _____

17 의견이나 문제를 내놓다. `ㅈㄱㅎㄷ` _____

18 어떤 단체나 행동의 중심이 되는 부분. `ㅈㅊ` _____

19 어떤 것의 한가운데. `ㅈㅅ` _____

20 어떤 사건이나 내용이나 판단이 진실인지 아닌지를 증거를 들어서 밝히다. `ㅈㅁㅎㄷ` _____

21 어떤 일이나 상태가 오래 계속되는 (것). `ㅈㅅㅈ` _____

22 어떤 대상에 대하여 배우거나 직접 경험하여 알게 된 내용. `ㅈㅅ` _____

23 무엇을 처음으로 만들어 냄. 또는 그렇게 만들어 낸 것. `ㅊㅈ` _____

24 어떤 기간의 처음이 되는 시기. `ㅊㄱ` _____

25 다그쳐서 빨리 진행하게 하다. `ㅊㅈㅎㄷ` _____

26 일정한 양을 기준으로 하여 같은 종류의 다른 양의 크기를 재다. `ㅊㅈㅎㄷ` _____

27 어떤 일이나 사물의 바탕이 되는 기초. `ㅌㄷ` _____

28 권리, 의무, 자격 등이 차별 없이 고르고 똑같다. `ㅍㄷㅎㄷ` _____

29 규정이나 규칙에 의하여 공적인 일들을 처리함. `ㅎㅈ` _____

4월

1. 주목하다
2. 주의
3. 증진
4. 진보
5. 초래하다
6. 최종
7. 추가
8. 추진하다
9. 통제하다
10. 통치하다
11. 특성
12. 편리
13. 포함하다
14. 표시
15. 어휘 퀴즈
16. 표현
17. 학습
18. 해결하다
19. 혁신
20. 혼합
21. 확산
22. 확신하다
23. 효과
24. 흡수하다
25. 가능성
26. 갈등
27. 강조하다
28. 개별
29. 개입
30. 어휘 퀴즈

9월 29일

23학년도 수능

행정 行政 (다닐 행, 정사 정)

1 규정이나 규칙에 의하여 공적인 일들을 처리함.
   예) **행정** 업무들을 빠르게 처리했다.

통계청은 인구 조사 및 각종 통계에 관한 사무를 맡는 중앙 **행정** 기관을 말해요.

출처: 『똑똑한 초등신문 1』 p.89

어휘력 확장하기

행 行 다닐 행

실행 | 실제로 행함.
수행 | 일을 생각하거나 계획한 대로 해냄.
행위 | 사람이 의지를 가지고 하는 짓.
유행 | 무엇이 사람들에게 인기를 얻어 사회 전체에 널리 퍼짐.

정 政 정사 정

정부 | 입법, 사법, 행정의 삼권을 포함하는 통치 기구.
정책 | 정치적인 목적을 이루기 위한 방법.
정당 | 정치적인 생각이 같은 사람들이 정치적 이상을 실현하기 위하여 모인 단체.

4월 1일

25학년도 수능

주목하다 注目 (물댈 주, 눈 목)

1 관심을 가지고 주의 깊게 살피다.
  예) 우리는 선생님을 **주목**했다.

러시아와 친한 에르도안 대통령이 다시 권력을 잡은 것이 우·러 전쟁에 앞으로 어떤 영향을 미치게 될지 전 세계가 **주목하고** 있어요.

출처: 『똑똑한 초등신문 2』 p.91

🔍 어휘력 확장하기

주 注 물댈 주

주입 | 액체나 기체가 흘러 들어가도록 부어 넣음.
주유 | 자동차 등에 연료가 되는 기름을 넣음.
주의 | 마음에 새겨 두고 조심함.
주력하다 | 어떤 일에 온 힘을 쓰다.

목 目 눈 목

목표 | 어떤 목적을 이루기 위하여 도달해야 할 구체적인 대상.
목적 | 이루려고 하는 일이나 나아가고자 하는 방향.
안목 | 어떤 것의 가치를 판단하거나 구별할 수 있는 능력.

9월 28일

23학년도 수능

평등하다 平等 (평평할 평, 같을 등)

1 권리, 의무, 자격 등이 차별 없이 고르고 똑같다.
   예 모든 인간은 **평등**하다.

세계유산위원회는 "가야가 주변국과 자율적으로 **평등하고** 독특한 체계를 유지하며 동아시아 고대 문명의 다양성을 보여주는 중요한 증거가 된다는 점에서 가치가 인정된다"라고 밝혔어요.

출처: 『똑똑한 초등신문 2』 p.202

어휘력 확장하기

평 平 평평할 평

평소 | 특별한 일이 없는 보통 때.
평일 | 토요일, 일요일, 공휴일이 아닌 보통 날.
평생 | 세상에 태어나서 죽을 때까지의 동안.
평균 | 수나 양, 정도의 중간값을 갖는 수.
평화 | 전쟁이나 다툼 등의 갈등이 없이 조용하고 화목함.
평야 | 지표면이 평평하고 넓은 들.

등 等 같을 등

등급 | 높고 낮음이나 좋고 나쁨의 정도를 여러 층으로 나누어 놓은 단계.
동등 | 등급이나 정도가 같음. 또는 그런 등급이나 정도.

4월 2일

25학년도 수능

주의 注意 (물댈 주, 뜻 의)

1. 마음에 새겨 두고 조심함.
   - 예) **주의** 사항
2. 어떤 상태나 일에 관심을 집중함.
   - 예) **주의**를 기울이다.
3. 경고나 충고의 뜻으로 알림.
   - 예) 선생님께 조용히 하라는 **주의**를 받았다.

매년 산불 발생 위험도가 높아지는 만큼 모두의 **주의**가 필요한 때예요.

출처: 『똑똑한 초등신문 2』 p.125

어휘력 확장하기

주 注 물댈 주

주목 | 관심을 가지고 주의 깊게 살핌. 또는 그 시선.
주문 | 다른 사람에게 어떤 일을 하도록 요구하거나 부탁하는 일이나 내용.

의 意 뜻 의

의미 | 말이나 글, 기호 등이 나타내는 뜻.
의견 | 어떤 대상이나 현상 등에 대해 나름대로 판단하여 가지는 생각.
의도 | 무엇을 하고자 하는 생각이나 계획.

9월 27일

23학년도 수능

토대 土臺 (흙토, 돈대대)

1 건물을 지탱하는, 건물의 제일 밑부분.
   예) 이 건물은 지진에도 무너지지 않도록 튼튼하게 **토대**를 쌓았다.
2 어떤 일이나 사물의 바탕이 되는 기초.
   예) 선생님의 응원은 내가 힘낼 수 있는 **토대**가 되었다.

챗GPT의 능력이 마치 끝없어 보이지만, 챗GPT는 이전에 학습한 정보만을 **토대**로 결과물을 내기 때문에 앞으로 어떤 일이 있을지 전망하지 못하고 잘못된 대답을 하는 경우도 많아요.

출처: 『똑똑한 초등신문 1』 p.177

🔍 어휘력 확장하기

토   土 흙토

토양 | 식물을 자라게 할 수 있는 흙.
토지 | 사람들이 생활하고 활동하는 데 이용하는 땅.

대   臺 돈대 대

침대 | 사람이 누워서 잘 수 있게 만든 가구.
무대 | 공연하기 위해 객석 앞에 높게 만들어 놓은 넓은 자리.

4월 3일

25학년도 수능

증진 增進 (더할 증, 나아갈 진)

1 기운이나 세력 등이 점점 더 늘어 가고 나아감.
  예 건강 **증진**을 위해서는 꾸준히 운동해야 한다.

어휘력 확장하기

증 增 더할 증

증가 | 수나 양이 더 늘어나거나 많아짐.
증대 | 양이 많아지거나 크기가 커짐.
증식 | 늘어서 많아짐. 또는 늘려서 많게 함.
급증 | 짧은 기간 안에 갑자기 늘어남.
할증 | 정해진 가격에 얼마를 더함.

진 進 나아갈 진

진로 | 장래의 삶의 방향.
진출 | 어떤 방면으로 활동 범위나 세력을 넓혀 나아감.
진행 | 일 등을 계속해서 해 나감.
진도 | 학과의 진행 속도나 정도.
진보 | 정도나 수준이 나아지거나 높아짐.

9월 26일

23학년도 수능

측정하다 測定 (잴 측, 정할 정)

1 일정한 양을 기준으로 하여 같은 종류의 다른 양의 크기를 재다.
  예 병원에서 키와 몸무게를 **측정**했다.

미국 하워드휴스 의학연구소 연구팀은 쥐의 상상력을 알아보기 위해 쥐의 뇌에 기계 장치를 연결해 신경 활동을 **측정하고** 분석했어요.

출처: 『똑똑한 초등신문 2』 p.142

어휘력 확장하기

측 測 잴 측

예측 | 앞으로의 일을 미리 추측함.
추측 | 어떤 사실이나 보이는 것을 통해서 다른 무엇을 미루어 짐작함.
관측 | 자연 현상을 자세히 살펴보아 어떤 사실을 짐작하거나 알아냄.
측우기 | 조선 시대에 만든, 비가 내린 양을 재는 기구.

정 定 정할 정

정의 | 어떤 말이나 사물의 뜻을 명확히 밝혀 분명하게 정함. 또는 그 뜻.
정착 | 일정한 곳에 자리를 잡아 머물러 삶.
결정 | 무엇을 어떻게 하기로 분명하게 정함. 또는 그렇게 정해진 내용.

4월 4일

25학년도 수능

진보 進步 (나아갈 진, 걸음 보)

---

1. 정도나 수준이 나아지거나 높아짐.
   - 예) 컴퓨터는 기술의 **진보**에 매우 큰 영향을 미쳤다.
   - 반대어) **퇴보** 退步 (물러날 퇴, 걸음 보)
2. 사회의 변화나 발전을 추구함.
   - 예) **진보**와 보수는 중요하게 여기는 가치가 서로 다르다.
   - 참고어) **보수** 保守 (보전할 보, 지킬 수)

> 인지발달이란 인간이 환경과의 상호작용에 의하여 사고·학습·추리·요약하는 능력이 **진보**·성장하여 지식을 얻는 지적인 사람으로 변화되어 가는 발달 과정을 말해요.
> 출처: 『똑똑한 초등신문 2』 p.234

🔍 어휘력 확장하기

진 進 나아갈 진

진학 | 학교를 졸업한 뒤, 그보다 높은 등급의 학교에 들어감.
선진국 | 다른 나라보다 정치, 경제, 문화 등의 발달이 앞선 나라.
직진 | 앞으로 곧게 나아감.

보 步 걸음 보

보행자 | 길거리를 걸어 다니는 사람.
양보 | 다른 사람을 위해 자리나 물건 등을 내주거나 넘겨줌.

9월 25일

23학년도 수능

촉진하다 促進 (재촉할 촉, 나아갈 진)

1 다그쳐서 빨리 진행하게 하다.
> 예) 신기술 개발을 **촉진**하기 위해서는 많은 예산이 필요하다.

연구팀은 손글씨를 쓰면 손동작을 정밀하게 움직여야 하는데, 이때 얻는 시각, 동작 정보가 학습을 **촉진하는** 뇌 연결에 도움을 주어 학습 능력을 높인다고 설명했어요.

출처: 『똑똑한 초등신문 2』 p.78

🔍 어휘력 확장하기

촉 促 재촉할 촉

촉박하다 | 마감이 바싹 다가와서 시간이 별로 없다.
독촉 | 어떤 일이나 행동을 빨리 하도록 몹시 재촉함.
판촉 | 여러 방법을 써서 소비자를 자극하여 판매가 늘도록 유도하는 일.

진 進 나아갈 진

진행 | 일 등을 계속해서 해 나감.
진보 | 정도나 수준이 나아지거나 높아짐.
추진 | 물체를 밀어 앞으로 나아가게 함.
증진 | 기운이나 세력 등이 점점 더 늘어 가고 나아감.
선진국 | 다른 나라보다 정치, 경제, 문화 등의 발달이 앞선 나라.

4월 5일

25학년도 수능

초래하다 招來 (부를 초, 올 래)

---

1 어떤 결과를 가져오게 하다.
   예) 이 사건은 내가 **초래**한 일이다.

🔍 어휘력 확장하기

초 招 부를 초

초대 | 다른 사람에게 어떤 자리, 모임, 행사 등에 와 달라고 요청함.
초청 | 어떤 사람을 손님으로 부름.
초인종 | 사람을 부르는 신호로 울리는 종.
자초하다 | 자기 스스로 어떤 결과가 생기게 하다.

래(내) 來 올 래(내)

내일 | 오늘의 다음 날.
내년 | 올해의 바로 다음 해.
미래 | 앞으로 올 때.
장래 | 다가올 앞날.
거래 | 돈이나 물건을 주고받거나 사고팖.
왕래 | 사람들이 서로 오고 가고 함.
외래 | 환자가 병원에 입원하지 않고 다니면서 치료를 받음.

9월 24일

23학년도 수능

초기 初期 (처음 초, 기약할 기)

1 어떤 기간의 처음이 되는 시기.
   예 입학 **초기**에는 학교에 적응하는 데에 집중하세요.

디즈니가 1928년에 만든 미키마우스의 **초기** 캐릭터의 저작권이 내년 2024년 1월에 끝난다고 해요.

출처: 『똑똑한 초등신문 1』 p.69

어휘력 확장하기

초 初 처음 초

초등학교 | 학교 교육의 첫 번째 단계로 육 년 동안 기본 교육을 받는 학교.
초반 | 어떤 일이나 일정한 기간의 처음 단계.
초보 | 어떤 일이나 기술을 처음으로 시작하거나 배우는 단계.

기 期 기약할 기

기대 | 어떤 일이 이루어지기를 바라며 기다림.
기약 | 때를 정하여 약속함. 또는 그런 약속.
기어이 | 어떤 일이 있어도 반드시.
기어코 | 어떤 일이 있어도 반드시.

4월 6일

25학년도 수능

최종 最終 (가장 최, 마칠 종)

1 맨 나중.
  예 **최종** 결정만을 남겨 두고 있다.

아르테미스 계획의 **최종** 목표는 사람을 달에 상주시키는 것이에요.

출처: 『똑똑한 초등신문 1』 p.162

어휘력 확장하기

최 最 가장 최

최대 | 수나 양, 크기 등이 가장 큼.
최소 | 수나 정도가 가장 작거나 낮음.
최선 | 여럿 가운데서 가장 낫거나 좋음. 또는 그런 일.
최신 | 가장 새로움. 또는 가장 앞서 있음.

종 終 마칠 종

종일 | 아침부터 저녁까지의 동안.
종료 | 어떤 행동이나 일이 끝남.
종결 | 일을 다 끝냄.
종말 | 계속되어 온 일이나 현상의 마지막.

9월 23일

23학년도 수능

창작　創作 (비롯할 창, 지을 작)

1 무엇을 처음으로 만들어 냄. 또는 그렇게 만들어 낸 것.
   예 **창작**은 어렵지만 할 수 있다.

AI의 **창작** 활동에 따른 저작권 침해 문제, 더 나아가 작가들의 일자리를 AI가 빼앗아 갈지도 모른다는 우려가 잇따르고 있어요.

출처: 『똑똑한 초등신문 2』 p.71

🔍 어휘력 확장하기

창　創 비롯할 창

창조 | 전에 없던 것을 처음으로 만들거나 새롭게 이룩함.
창업 | 사업 등을 처음으로 시작함.
창의력 | 지금까지 없던 새로운 것을 생각해 내는 능력.
독창성 | 모방하지 않고 새로운 것을 생각해 내거나 만들어 내는 성질.

작　作 지을 작

작곡 | 음악의 곡조를 짓는 일.
작업 | 일을 함. 또는 그 일.
작용 | 어떠한 현상이나 행동을 일으키거나 영향을 줌.
작심삼일 | 단단히 먹은 마음이 사흘을 못 간다는 뜻으로, 결심이 강하지 못함.

4월 7일

25학년도 수능

추가 追加 (쫓을 추, 더할 가)

1 나중에 더 보탬.
- 예) 이번 주에 **추가** 합격자를 발표한다.

과학자들은 추가 연구를 통해 초대형 수달이 어떻게 멸종하게 되었는지 더 구체적으로 밝혀낼 계획이라고 해요.

출처: 『똑똑한 초등신문 1』 p.135

🔍 어휘력 확장하기

추 追 쫓을 추

추억 | 지나간 일을 생각함. 또는 그런 생각이나 일.
추구 | 목적을 이루기 위해 계속 따르며 구함.

가 加 더할 가

가습기 | 수증기를 내어 방 안의 습도를 조절하는 기구.
가입 | 단체에 들어가거나 상품 및 서비스를 받기 위해 계약을 함.
가열 | 어떤 물질에 뜨거운 열을 가함.
증가 | 수나 양이 더 늘어나거나 많아지다.

9월 22일

23학년도 수능

지식 知識 (알 지, 알 식)

1 어떤 대상에 대하여 배우거나 직접 경험하여 알게 된 내용.
   예 책을 많이 읽어서 **지식**을 쌓아야겠다.

전문가란 어떤 분야를 연구하거나 그 일에 종사하여 그 분야에 상당한 **지식**과 경험을 가진 사람을 말해요.

출처: 『똑똑한 초등신문 1』 p.73

🔍 어휘력 확장하기

지 知 알 지

지능 | 사물이나 상황을 이해하고 대처하는 지적인 적응 능력.
지혜 | 삶의 이치와 옳고 그름을 잘 이해하고 판단하는 능력.

식 識 알 식

상식 | 사람들이 일반적으로 알아야 할 지식이나 판단력.
의식 | 정신이 깨어 있는 상태에서 무엇을 지각하거나 인식할 수 있는 기능.
인식 | 무엇을 분명히 알고 이해함.
무식 | 배우거나 보고 들은 것이 없어 아는 것이 부족함.
유식 | 배워서 아는 것이 많음.
식견 | 보고 듣거나 배워서 얻은 지식.

4월 8일

25학년도 수능

추진하다 推進 (옮길 추, 나아갈 진)

1 물체를 밀어 앞으로 나아가게 하다.
    - 예) 수업 시간에 비행기가 **추진**하는 원리를 배웠다.
2 어떤 목적을 위해서 일을 밀고 나아가다.
    - 예) 새로운 사업을 **추진**하기 위해 다 함께 노력했다.

> 국내 최초로 제주특별자치도가 남방큰돌고래를 법으로 보호하기 위해 생태법인 제도 도입을 **추진하고** 있거든요.
>
> 출처: 『똑똑한 초등신문 2』 p.178

🔍 어휘력 확장하기

추 推 옮길 추

추천 | 어떤 조건에 알맞은 사람이나 물건을 책임지고 소개함.
추측 | 어떤 사실이나 보이는 것을 통해서 다른 무엇을 미루어 짐작함.
추이 | 시간이 지나면서 일이나 상황이 변함. 또는 그 변하는 모습.
추앙하다 | 높이 받들어 존경하다.

진 進 나아갈 진

진로 | 앞으로 나아갈 길.
진출 | 어떤 방면으로 활동 범위나 세력을 넓혀 나아감.

9월 21일

23학년도 수능

지속적 持續的 (가질 지, 이을 속, 과녁 적)

1 어떤 일이나 상태가 오래 계속되는 (것).
- 예) 나는 농구를 잘하기 위해 **지속적**으로 노력했다.

> 전문가들은 바다는 거대한 이산화탄소 저장고로, 대기 중 이산화탄소를 안전하고 **지속적**으로 줄여줄 거라고 말해요.
>
> 출처: 『똑똑한 초등신문 2』 p.187

🔍 어휘력 확장하기

지 持 가질 지

유지 | 어떤 상태나 상황 등을 그대로 이어 나감.
지구력 | 오랫동안 버티며 견디는 힘.
소지품 | 가지고 있는 물건.

속 續 이을 속

계속 | 끊이지 않고 이어 나감.
수속 | 일을 시작하거나 처리하기 전에 거쳐야 할 과정이나 단계.
연속 | 끊이지 않고 계속 이어짐.
접속 | 서로 맞대어 이음.

4월 9일

25학년도 수능

통제하다 統制 (거느릴 통, 억제할 제)

1 어떤 방침이나 목적에 따라 행위를 하지 못하게 막다.
   예 외부인의 출입을 **통제**해서 건물 내부로 들어가지 못했다.

> 학생들이 스스로 스마트폰 사용을 통제할 수 있는 능력을 키우는 것이 더 중요하다고 보기 때문이에요.
>
> 출처: 『똑똑한 초등신문 2』 p.75

어휘력 확장하기

통 統 거느릴 통

통일 | 나누어지거나 갈라진 것들을 합쳐서 하나가 되게 함.
통치 | 나라나 지역을 맡아 다스림.
전통 | 전해 내려오면서 고유하게 만들어진 사상, 관습, 행동 등의 양식.
대통령 | 국가를 대표하고 행정부 최고의 직위를 가진 사람.

제 制 억제할 제

제도 | 관습, 도덕, 법률 등의 규범이나 사회 구조의 체계.
제정 | 법이나 제도 등을 만들어서 정함.
제한 | 일정한 정도나 범위를 정하거나, 그 한도를 넘지 못하게 막음.
규제 | 규칙이나 법에 의하여 개인이나 단체의 활동을 제한함.

9월 20일

증명하다 證明 (증거 증, 밝을 명)

23학년도 수능

1 어떤 사건이나 내용이나 판단이 진실인지 아닌지를 증거를 들어서 밝히다.
   예) 네가 범인이 아니라는 것을 **증명**해 봐.

확증 편향이란 자기 생각, 기대, 판단이 옳다고 **증명해** 주는 정보만을 선택적으로 인정하고 자신의 주장에 반대되는 증거는 무시하는 사고방식을 말해요.

출처: 『똑똑한 초등신문 2』 p.72

어휘력 확장하기

증 證 증거 증

증거 | 어떤 사건이나 사실을 확인할 수 있는 근거.
학생증 | 어떤 학교에 소속된 학생임을 증명하는 문서.

명 明 밝을 명

명확하다 | 분명하고 확실하다.
명백하다 | 매우 분명하고 확실하다.
명랑 | 유쾌하고 활발함.
명도 | 색의 밝고 어두운 정도.
총명 | 아주 영리하고 재주가 있음.

4월 10일

25학년도 수능

통치하다 統治 (거느릴 통, 다스릴 치)

1 나라나 지역을 맡아 다스리다.
   예) 새로운 지도자가 마을을 **통치**하기 시작했다.

> 가봉에서는 아버지와 아들이 합쳐서 무려 56년이나 **통치**하기도 했어요.
>
> 출처: 『똑똑한 초등신문 2』 p.98

🔍 어휘력 확장하기

통 統 거느릴 통

통일 | 나누어지거나 갈라진 것들을 합쳐서 하나가 되게 함.
통제 | 어떤 방침이나 목적에 따라 행위를 하지 못하게 막음.
통계 | 한데 몰아서 어림잡아 계산함.
대통령 | 국가를 대표하고 행정부 최고의 직위를 가진 사람.

치 治 다스릴 치

치료 | 병이나 상처 등을 낫게 함.
정치 | 나라를 다스리는 일.

9월 19일

23학년도 수능

중심 中心 (가운데 중, 마음 심)

1 어떤 것의 한가운데.
   예) 사과의 **중심**에는 씨가 있다.

전 세계가 각국의 종자를 지키려고 애쓰는 지금, 사람들이 좋아하는 품종을 **중심**으로 종자를 개발하고 국산화 비율을 높이려는 노력을 기울여야 할 때예요.

출처: 『똑똑한 초등신문 1』 p.31

어휘력 확장하기

중 中 가운데 중

중계 | 서로 다른 대상을 중간에서 이어 줌.
중단 | 어떤 일을 중간에 멈추거나 그만둠.
중순 | 한 달 가운데 11일부터 20일까지의 기간.
집중 | 한곳을 중심으로 하여 모임.

심 心 마음 심

심리 | 마음의 움직임이나 의식의 상태.
심정 | 마음속에 가지고 있는 감정과 생각.
심장 | 피를 온몸에 내보내는 신체 기관. 또는 (비유적으로) 사람의 마음.
결심 | 어떻게 하기로 굳게 마음을 정함. 또는 그런 마음.

4월 11일

25학년도 수능

특성 特性 (특별할 특, 성품 성)

---

1 보통과 매우 차이가 나게 다른 성질.
　　예) 이 식물은 추위에 강한 **특성**이 있다.

> 과학 분야에서 젠더 편향 문제를 해결하고 공정한 과학 연구를 위해서는 성별 **특성**을 고려한 연구를 늘려나가야 해요.
>
> 출처: 『똑똑한 초등신문 2』 p.14

🔍 어휘력 확장하기

특 特 특별할 특

특기 | 남이 가지지 못한 특별한 기술이나 재능.
특강 | 정규 과정 이외에 특별히 하는 강의.
특권 | 특별한 권리.
특산물 | 어떤 지역에서 특별히 생산되는 물건.
특혜 | 특별한 은혜나 혜택.

성 性 성품 성

성격 | 개인이 가지고 있는 고유한 성질이나 품성.
성별 | 남자와 여자, 또는 수컷과 암컷의 구별.
성질 | 사람이 가지고 있는 마음의 본래 바탕.

9월 18일

23학년도 수능

주체 主體 (주인 주, 몸 체)

1 어떤 단체나 행동의 중심이 되는 부분.
  예) 국가의 **주체**는 국민이다.

생태법인 제도는 생태적 가치가 있는 동물이나 식물, 생태계를 법적 권리 **주체**로 인정하는 제도를 말해요.

출처: 『똑똑한 초등신문 2』 p.178

🔍 어휘력 확장하기

주 主 주인 주

주인 | 대상이나 물건을 자기의 것으로 가진 사람.
주요 | 중심이 되고 중요함.
주장 | 자신의 의견이나 신념을 굳게 내세움. 또는 그런 의견이나 신념.
주관적 | 자신의 생각이나 관점을 기준으로 하는 것.
주인공 | 연극, 영화, 소설 등에서 이야기의 중심이 되는 인물.

체 體 몸 체

체력 | 몸의 힘이나 기운.
체면 | 남을 대하기에 떳떳한 입장이나 얼굴.
단체 | 같은 목적을 이루기 위해 모인 사람들의 조직.

4월 12일

25학년도 수능

편리 便利 (편할 편, 이로울 리)

1 이용하기 쉽고 편함.
> 예) 영화관을 선택할 때 교통 **편리**를 확인해야 한다.

> 여성들의 안전과 **편리**를 보장해주지 않는 과학, 이대로 괜찮은 걸까요?
>
> 출처: 『똑똑한 초등신문 2』 p.14

🔍 어휘력 확장하기

편 便 편할 편

편안 | 몸이나 마음이 편하고 좋음.
불편 | 이용하기에 편리하지 않음.
편의점 | 24시간 내내 문을 열고 간단한 생활필수품 등을 파는 가게.

리(이) 利 이로울 리(이)

복리 | 행복과 이익.
영리 | 재산상의 이익을 얻음.
폭리 | 옳지 않은 방법으로 지나치게 많이 남기는 이익.
이용 | 대상을 필요에 따라 이롭거나 쓸모가 있게 씀.
이기심 | 자신의 이익만을 생각하는 마음.
이롭다 | 도움이나 이익이 되다.

9월 17일

23학년도 수능

제기하다 提起 (끌 제, 일어날 기)

1 의견이나 문제를 내놓다.
   예 학급회의에서 나는 청소 문제를 **제기**했다.

햄버거 프랜차이즈 버거킹을 상대로 100여 명의 미국 소비자들이 소송을 **제기했어요**.

출처:『똑똑한 초등신문 2』 p.30

🔍 어휘력 확장하기

제 　提 끌 제

제공 | 무엇을 내주거나 가져다줌.
제출 | 어떤 안건이나 의견, 서류 등을 내놓음.
제안 | 의견이나 안건으로 내놓음.
제보 | 정보를 제공함.

기 　起 일어날 기

기립 | 자리에서 일어나서 섬.
기상 | 잠에서 깨어 잠자리에서 일어남.

4월 13일

25학년도 수능

포함하다 包含 (쌀포, 머금을함)

1 어떤 무리나 범위에 함께 들어 있거나 함께 넣다.
  예) 우리 모둠은 나를 **포함**해서 6명이다.

연구자들은 딱따구리를 **포함**한 홍학, 펭귄, 오리 등 노래를 못하는 새의 뇌를 조사하다가 딱따구리에게서 재미있는 사실을 발견했어요.

출처: 『똑똑한 초등신문 1』 p.138

🔍 어휘력 확장하기

포 包 쌀 포

포장 | 물건을 싸거나 꾸림 또는 싸거나 꾸리는 데 사용하는 재료.
포용 | 남을 넓은 마음으로 감싸 주거나 받아들임.
포섭 | 적이나 상대편을 자기편으로 끌어들임.
포괄 | 어떤 대상이나 현상을 하나의 범위 안에 묶어 넣다.
포위하다 | 주위를 빙 둘러싸다.

함 含 머금을 함

함축 | 겉으로 드러내지 않고 속에 간직함.
함유하다 | 물질이 어떤 성분을 갖고 있다.

9월 16일

23학년도 수능

정리하다 整理 (가지런할 정, 다스릴 리)

1 흐트러지거나 어수선한 상태에 있는 것을 한곳에 모으거나 치우다.
   예) 방을 **정리**하면 마음도 정돈된다.

법안이란 법으로 만들고 싶은 사항을 항목별로 **정리해** 국회에 제출하는 문서나 안건을 말해요.

출처: 『똑똑한 초등신문 2』 p.74

어휘력 확장하기

정 整 가지런할 정

조정 | 어떤 기준이나 상황에 맞게 바로잡아 정리함.
정돈 | 어지럽게 흩어진 것을 가지런히 바로잡아 정리함.
정형외과 | 근육이나 뼈대 등의 상처나 질병을 치료하는 의학 분야.

리(이) 理 다스릴 리(이)

이론 | 어떤 이치나 지식을 논리적으로 일반화한 명제의 체계.
이유 | 어떠한 결과가 생기게 된 까닭이나 근거.
이해 | 무엇이 어떤 것인지를 앎. 또는 무엇이 어떤 것이라고 받아들임.
이성 | 올바른 가치와 지식을 가지고 논리에 맞게 생각하고 판단하는 능력.
심리 | 마음의 움직임이나 의식의 상태.

4월 14일

25학년도 수능

표시 標示 (표 표, 보일 시)

1 어떤 사항을 알리는 내용을 겉에 드러내 보임.
   예) 상점은 가격 표시를 정확하게 해야 한다.

그래서 붕어빵 가게가 많이 생기는 것은 불황을 보여 주는 표시라고 생각했어요.

출처: 『똑똑한 초등신문 1』 p.29

복장만으로 종교적인 표시를 했다고 볼 수 없다는 것이죠.

출처: 『똑똑한 초등신문 2』 p.96

🔍 어휘력 확장하기

표 標 표 표

표준 | 사물의 성격이나 정도 등을 알기 위한 근거나 기준.
표본 | 본보기로 삼을 만한 것.
상표 | 상품을 만든 회사를 나타내는 기호나 그림 등의 표시.
목표 | 어떤 목적을 이루기 위하여 도달해야 할 구체적인 대상.

시 示 보일 시

시범 | 모범이 되는 본보기를 보임.
제시 | 무엇을 하고자 하는 생각을 말이나 글로 나타내어 보임.

초성으로 맞히는 어휘 퀴즈

9월 15일

다음은 어떤 어휘의 뜻일까요? 어휘를 직접 써 보세요.

1. 여럿을 종류에 따라서 나눔. `ㅂㄹ` _____

2. 한쪽의 수나 양이 변함에 따라 다른 쪽의 수나 양도 일정하게 변하다. `ㅂㄹㅎㄷ` _____

3. 무엇에 대해 자세히 따져 옳고 그름을 밝히거나 잘못된 점을 지적함. `ㅂㅍ` _____

4. 이전에 실제로 일어난 예. `ㅅㄹ` _____

5. 오해가 없도록 뜻이나 생각이 서로 잘 통함. `ㅅㅌ` _____

6. 돈, 재산 등을 잃거나 정신적으로 해를 입음. `ㅅㅎ` _____

7. 눈으로 볼 수 있는 범위. `ㅅㅇ` _____

8. 정도나 단계가 깊어짐. 또는 깊어지게 함. `ㅅㅎ` _____

9. 급하고 중요한 일이나 의논할 것. `ㅇㄱ` _____

10. 법, 명령, 약속 등을 지키지 않고 어김. `ㅇㅂ` _____

11. 존경할 만한 지위와 권세가 있어 엄숙한 태도나 분위기. `ㅇㅇ` _____

12. 어떤 대상이나 현상 등에 대해 나름대로 판단하여 가지는 생각. `ㅇㄱ` _____

13. 어떤 이치나 지식을 논리적으로 일반화한 명제의 체계. `ㅇㄹ` _____

14. 느낌이나 생각이 매우 크고 강하다. `ㅈㅅㅎㄷ` _____

여러분이 지난 14일 동안 매일 하나씩 공부했던 어휘들을 다시 보면서 정답을 확인해 보세요.
어휘의 뜻을 다시 확인하고 되새겨 본다면 여러분의 어휘력은 무한하게 확장될 거예요.
가족이나 친구들과도 함께 퀴즈를 풀면서 재미있게 어휘력을 키워 보세요.

4월 15일

? 초성으로 맞히는 어휘 퀴즈

다음은 어떤 어휘의 뜻일까요? 어휘를 직접 써 보세요.

1. 관심을 가지고 주의 깊게 살피다. `ㅈㅁㅎㄷ` _____
2. 마음에 새겨 두고 조심함. `ㅈㅇ` _____
3. 기운이나 세력 등이 점점 더 늘어 가고 나아감. `ㅈㅈ` _____
4. 정도나 수준이 나아지거나 높아짐. `ㅈㅂ` _____
5. 어떤 결과를 가져오게 하다. `ㅊㄹㅎㄷ` _____
6. 맨 나중. `ㅊㅈ` _____
7. 나중에 더 보탬. `ㅊㄱ` _____
8. 물체를 밀어 앞으로 나아가게 하다.. `ㅊㅈㅎㄷ` _____
9. 어떤 방침이나 목적에 따라 행위를 하지 못하게 막다. `ㅌㅈㅎㄷ` _____
10. 나라나 지역을 맡아 다스리다. `ㅌㅊㅎㄷ` _____
11. 보통과 매우 차이가 나게 다른 성질. `ㅌㅅ` _____
12. 이용하기 쉽고 편함. `ㅍㄹ` _____
13. 어떤 무리나 범위에 함께 들어 있거나 함께 넣다. `ㅍㅎㅎㄷ` _____
14. 어떤 사항을 알리는 내용을 겉에 드러내 보임. `ㅍㅅ` _____

여러분이 지난 14일 동안 매일 하나씩 공부했던 어휘들을 다시 보면서 정답을 확인해 보세요.
어휘의 뜻을 다시 확인하고 되새겨 본다면 여러분의 어휘력은 무한하게 확장될 거예요.
가족이나 친구들과도 함께 퀴즈를 풀면서 재미있게 어휘력을 키워 보세요.

9월 14일

23학년도 수능

절실하다 切實 (끊을 절, 열매 실)

1 느낌이나 생각이 매우 크고 강하다.
   예) 합격하고 싶은 마음이 **절실**하다.

> 점차 힘을 키워 가던 신라는 나라 발전에 한강이 **절실**하게 필요해지자, 결단을 내립니다.
>
> 출처: 『똑똑한 역사신문 1』 p.199

어휘력 확장하기

절　切 끊을 절

간절하다 | 정성이나 마음 등이 아주 지극하다.
절박하다 | 어떤 일이나 때가 가까이 닥쳐서 몹시 급하다.
절단 | 자르거나 끊음.
품절 | 물건이 다 팔리고 없음.

실　實 열매 실

실력 | 어떤 일을 해낼 수 있는 능력.
실용적 | 실제적인 쓸모가 있는 것.
실제 | 있는 그대로의 상태나 사실.
현실 | 현재 실제로 있는 사실이나 상태.

4월 16일

25학년도 수능

표현 表現 (겉 표, 나타날 현)

1 느낌이나 생각 등을 말, 글, 몸짓 등으로 나타내어 겉으로 드러냄.
 예 의사 **표현**을 명확히 해라.

전문가들은 혐오 **표현**은 전 세계적인 문제라고 지적하면서 대책을 시급히 마련해야 한다고 했어요.

출처: 『똑똑한 초등신문 1』 p.60

초기 디즈니에는 인종차별적인 **표현**과 더불어 백설 공주처럼 왕자님을 기다렸다가 사랑을 이루는 '새하얀' 피부의 공주 이야기가 대부분이었어요.

출처: 『똑똑한 초등신문 2』 p.210

어휘력 확장하기

표 表 겉 표

표정 | 마음속에 품은 감정이나 생각 등이 얼굴에 드러난 모습.
표지 | 책의 맨 앞과 뒤를 둘러싼 종이나 가죽.
발표 | 어떤 사실이나 작품 등을 세상에 드러내어 널리 알림.

현 現 나타날 현

현대 | 오늘날의 시대.
발현 | 속에 숨겨져 있는 성질이나 정신이 겉으로 나타남.

9월 13일

23학년도 수능

이론 理論 (다스릴 이, 논의할 론)

1 어떤 이치나 지식을 논리적으로 일반화한 명제의 체계.
  예 새로운 철학 **이론**을 공부하는 중이다.

원칙이란 어떤 행동이나 **이론** 등에서 일관되게 지켜야 하는 기본적인 규칙이나 법칙을 말한다.

출처: 『똑똑한 초등신문 2』 p.265

어휘력 확장하기

이(리) 理 다스릴 이(리)

이념 | 한 국가나 사회, 개인이 가지고 있는 생각의 근본이 되는 사상.
이성 | 올바른 가치와 지식을 가지고 논리에 맞게 생각하고 판단하는 능력.
심리 | 마음의 움직임이나 의식의 상태.
정리 | 흐트러지거나 어수선한 상태에 있는 것을 한곳에 모으거나 치움.
이상형 | 가장 완전하다고 생각하는 사람의 유형.

론(논) 論 논의할 론(논)

논리 | 바르게 판단하고 이치에 맞게 생각하는 과정이나 원리.
논술 | 어떤 주제에 대한 의견을 논리에 맞게 말하거나 적음.

4월 17일

학습 學習 (배울 학, 익힐 습)

25학년도 수능

1 배워서 익힘.
 예 학습 능력이 월등히 좋다.

연구팀은 손글씨를 쓰면 손동작을 정밀하게 움직여야 하는데, 이때 얻는 시각, 동작 정보가 학습을 촉진하는 뇌 연결에 도움을 주어 학습 능력을 높인다고 설명했어요.

출처: 『똑똑한 초등신문 2』 p.78

🔍 어휘력 확장하기

학 學 배울 학

학교 | 목적, 교과 과정, 제도 등에 의하여 교사가 학생을 가르치는 기관.
학생 | 학교에 다니면서 공부하는 사람.
학부모 | 학생을 자녀로 둔 부모.

습 習 익힐 습

습관 | 오랫동안 되풀이하는 동안에 저절로 익혀진 행동 방식.
습득 | 학문이나 기술 등을 배워서 자기 것으로 만듦.
복습 | 배운 것을 다시 공부함.
예습 | 앞으로 배울 것을 미리 공부함.
연습 | 무엇을 잘할 수 있도록 반복하여 익힘.

9월 12일

23학년도 수능

의견 意見 (뜻 의, 볼 견)

1 어떤 대상이나 현상 등에 대해 나름대로 판단하여 가지는 생각.
예) 나와 다른 **의견**도 존중해야 한다.

한국의 급격한 인구 감소를 두고 적극적인 이민 정책을 통해 인구절벽의 문제를 해결해야 한다는 **의견**도 있어요.

출처: 『똑똑한 초등신문 2』 p.56

🔍 어휘력 확장하기

의 意 뜻 의

의도 | 무엇을 하고자 하는 생각이나 계획.
의지 | 어떤 일을 이루고자 하는 마음.
의기소침하다 | 자신감이 줄어들고 기운이 없어진 상태이다.

견 見 볼 견

편견 | 공평하고 올바르지 못하고 한쪽으로 치우친 생각.
참견 | 자기와 관계가 없는 일에 끼어들어 나서거나 말함.
견해 | 사람, 사물이나 현상에 대해 사람마다 가지는 의견이나 생각.

4월 18일

25학년도 수능

해결하다 解決 (풀 해, 결정할 결)

1 사건이나 문제, 일 등을 잘 처리해 끝을 내다.
   예 친구들의 도움으로 일을 잘 **해결**할 수 있었다.

> 이러한 빛 공해 문제를 **해결하지** 못한다면 우주를 관찰하고 탐사할 수 있는 기회를 잃게 되어요.
>
> 출처: 『똑똑한 초등신문 1』 p.221

🔍 어휘력 확장하기

해 解 풀 해

해방 | 자유를 억압하는 것으로부터 벗어나게 함.
해석 | 문장으로 표현된 내용을 이해하고 설명함. 또는 그 내용.
해명 | 이유나 내용 등을 풀어서 밝힘.
해열제 | 몸의 열을 내리게 하는 약.

결 決 결정할 결

결심 | 어떻게 하기로 굳게 마음을 정함. 또는 그런 마음.
결정 | 무엇을 어떻게 하기로 분명하게 정함. 또는 그렇게 정해진 내용.
결제 | 물건값이나 내어 줄 돈을 주고 거래를 끝냄.

9월 11일

위엄 威嚴 (위엄 위, 엄할 엄)

23학년도 수능

1 존경할 만한 지위와 권세가 있어 엄숙한 태도나 분위기.
- 예 교장 선생님은 **위엄**이 있으시다.

🔍 어휘력 확장하기

위 威 위엄 위

위협 | 무서운 말이나 행동으로 상대방이 두려움을 느끼도록 함.
위력 | 상대방을 눌러 꼼짝 못 하게 할 만큼 매우 강력함. 또는 그런 힘.
권위 | 특별한 능력, 자격, 지위로 남을 이끌어서 따르게 하는 힘.
국위 | 널리 인정받을 만한 나라의 권위나 힘.

엄 嚴 엄할 엄

엄격 | 말, 태도, 규칙 등이 매우 엄하고 철저함.
계엄 | 국가에 비상사태가 일어났을 때, 군대가 임시로 정부의 권한을 대신함.
엄하다 | 규칙을 적용하거나 예절을 가르치는 것이 매우 철저하고 바르다.
엄중하다 | 매우 엄하다.
엄숙하다 | 의식이나 분위기 등이 무겁고 조용하다.
엄동설한 | 한겨울의 심한 추위.

4월 19일

25학년도 수능

혁신 革新 (가죽 혁, 새로울 신)

1 오래된 풍속, 관습, 조직, 방법 등을 완전히 바꾸어서 새롭게 함.
예 기술의 **혁신** 덕분에 우리는 더 편하게 살아갈 수 있다.

어휘력 확장하기

혁 革 가죽 혁

혁명 | 국가나 사회의 제도와 조직 등을 근본부터 고치는 일.
개혁 | 불합리한 제도나 기구 등을 새롭게 고침.

신 新 새로울 신

신상품 | 새로 나온 상품.
신입생 | 새로 입학한 학생.
신도시 | 대도시 근처에 계획적으로 새로 만든 도시.
신기록 | 이전의 기록보다 뛰어난 새로운 기록.
신문 | 정기적으로 세상에서 일어나는 새로운 일들을 알려 주는 간행물.
최신 | 가장 새로움. 또는 가장 앞서 있음.
신선하다 | 새롭고 산뜻하다.
참신하다 | 새롭고 신선하다.

9월 10일

23학년도 수능

위반 違反 (어길 위, 돌이킬 반)

1 법, 명령, 약속 등을 지키지 않고 어김.
  예) 운전 중에 속도 **위반**을 하면 벌금을 내야 한다.

🔍 어휘력 확장하기

위 違 어길 위

위법 | 법을 어김.

반 反 돌이킬 반

반대 | 어떤 것이 다른 것과 모양, 위치, 방향, 속성 등에서 완전히 다름.
반발 | 어떤 상태나 행동 등에 대하여 반대함.
반복 | 같은 일을 여러 번 계속함.
반성 | 말이나 행동을 되돌아보면서 잘못을 살피거나 그것을 깨닫고 뉘우침.

4월 20일

혼합 混合 (섞을 혼, 합할 합)

25학년도 수능

1 여러 가지를 뒤섞어 한데 합함.
- 예) 반죽을 잘하려면 물과 밀가루의 **혼합**이 중요하다.

🔍 어휘력 확장하기

혼 混 섞을 혼

혼동 | 서로 다른 것을 구별하지 못하고 뒤섞어서 생각함.
혼잡 | 여러 가지가 한데 뒤섞여 어지럽고 복잡함.
혼잡스럽다 | 뒤죽박죽이 되어 어지럽고 질서가 없는 데가 있다.

합 合 합할 합

합치다 | 여럿을 하나로 모으다.
합하다 | 여럿이 한데 모이다. 또는 여럿을 한데 모으다.
합동 | 둘 이상의 집단이나 개인이 모여 일을 함께함.
합창 | 여러 사람이 목소리를 맞추어 함께 노래 부름. 또는 그 노래.
합의 | 서로 의견이 일치함. 또는 그 의견.

9월 9일

> 23학년도 수능

요건 要件 (중요할 요, 사건 건)

1. 급하고 중요한 일이나 의논할 것.
   - 예) 전화한 **요건**이 뭔가요?
2. 어떤 일을 하는 데 필요한 조건.
   - 예) 입학 **요건**으로 성적도 포함된다.

🔍 어휘력 확장하기

요 要 중요할 요

요소 | 무엇을 이루는 데 반드시 있어야 할 중요한 성분이나 조건.
요약 | 말이나 글에서 중요한 것을 골라 짧게 만듦.
요청 | 필요한 일을 해 달라고 부탁함. 또는 그런 부탁.
중요 | 귀중하고 꼭 필요함.
필요 | 꼭 있어야 함.

건 件 사건 건

사건 | 관심이나 주목을 끌 만한 일.
여건 | 이미 주어진 조건.
조건 | 어떤 일을 하기에 앞서 내놓는 요구나 견해.
용건 | 해야 할 일.
무조건 | 아무것도 따지지 않고, 특별한 이유나 조건 없이.

4월 21일

25학년도 수능

확산 擴散 (넓힐 확, 흩을 산)

1 흩어져 널리 퍼짐.
- 예 전염병의 **확산**을 막기 위해 마스크를 써야 한다.

> 기후변화로 인해 침입 외래종의 확산이 늘어날 것으로 예상돼요.
> 출처: 『똑똑한 초등신문 2』 p.175

🔍 어휘력 확장하기

확 擴 넓힐 확

확대 | 모양이나 규모 등을 원래보다 더 크게 함.
확장 | 시설, 사업, 세력 등을 늘려서 넓힘.
확충 | 규모를 늘리고 부족한 것을 보충함.

산 散 흩을 산

산만하다 | 분위기나 태도가 어수선하거나 질서가 없다.
산책 | 잠깐 쉬거나 건강을 위해 주변을 천천히 걷는 일.
분산 | 갈라져 흩어짐. 또는 그렇게 되게 함.

9월 8일

23학년도 수능

심화 深化 (깊을 심, 될 화)

1 정도나 단계가 깊어짐. 또는 깊어지게 함.
  예) 나는 **심화** 과정 문제를 풀 수 있다.

🔍 어휘력 확장하기

심 深 깊을 심

심야 | 아주 늦은 밤.
심호흡 | 배나 가슴으로 깊게 숨을 쉼.
심사숙고 | 어떤 일에 대해 깊이 생각함.
심각하다 | 상태나 정도가 매우 심하거나 절박하거나 중대하다.
심심하다 | 마음이나 감정의 표현이 마음속에서 우러나와 아주 간절하다.
의미심장하다 | 뜻이 매우 깊다.

화 化 될 화

화장 | 화장품을 바르거나 문질러 얼굴을 예쁘게 꾸밈.
화학 | 물질의 구조, 성분, 변화 등에 관해 연구하는 자연 과학의 한 분야.
문화 | 사회의 공동체가 일정한 목적 또는 생활 이상을 실현하기 위한 물질적·정신적 활동.

4월 22일

25학년도 수능

확신하다 確信 (굳을 확, 믿을 신)

1 굳게 믿다.
- 예) 우리 팀이 이길 거라고 **확신**했다.

> 후쿠시마 제1 원전에는 이미 1천여 개의 대형 탱크에 오염수가 가득 차 있고 현재도 계속 오염수가 발생하고 있어서 방류가 30년 안에 끝날지 **확신할** 수 없어요.
>
> 출처: 『똑똑한 초등신문 2』 p.95

🔍 어휘력 확장하기

확 確 굳을 확

- **확보** | 확실히 가지고 있음
- **확인** | 틀림없이 그러한지를 알아보거나 인정함.
- **확정** | 확실하게 정함.
- **정확** | 바르고 확실함.

신 信 믿을 신

- **신념** | 어떤 생각을 굳게 믿는 마음. 또는 그것을 이루려는 의지.
- **신용** | 약속을 지킬 수 있다는 믿음. 또는 그 믿음의 정도.
- **신뢰** | 굳게 믿고 의지함.
- **배신** | 상대방의 믿음과 의리를 저버림.

9월 7일

23학년도 수능

시야 視野 (볼 시, 들 야)

1 눈으로 볼 수 있는 범위.
- 예) 주변이 어두워지니 **시야**에 아무것도 보이지 않았다.

🔍 어휘력 확장하기

시 視 볼 시

시력 | 물체를 볼 수 있는 눈의 능력.
시선 | 어떤 방향으로 바라보고 있는 눈.
감시 | 사람을 단속하거나 상황을 통제하기 위하여 주의 깊게 지켜봄.
무시 | 중요하게 생각하지 않음.
경시 | 어떤 대상을 중요하게 보지 않고 하찮게 여김.
중시 | 매우 크고 중요하게 여김.

야 野 들 야

야채 | 밭에서 기르며 주로 그 잎이나 줄기, 열매를 먹는 농작물.
야생 | 산이나 들에서 저절로 나서 자람. 또는 그런 동물이나 식물.
야영 | 휴양이나 여행 등을 하면서 야외에 천막을 치고 자거나 머무름.
야외 | 집이나 건물의 밖.
분야 | 사회 활동을 어떠한 기준에 따라 나눈 범위나 부분 중의 하나.
야당 | 현재 정권을 잡고 있지 않은 정당.

4월 23일

25학년도 수능

효과 效果 (본받을 효, 열매 과)

---

1 어떠한 것을 하여 얻어지는 좋은 결과.
  예) 많이 걷는 것은 다이어트에 **효과**가 있다.

과학자들은 웃음이 건강에 미치는 긍정적인 **효과**와 전염성에 대해서 많은 것을 밝혀냈어요.

출처: 『똑똑한 초등신문 1』 p.75

실제로 세계 각국에서 경제적 **효과**를 위해 그녀의 공연을 유치하려고 애쓴다고 해요.

출처: 『똑똑한 초등신문 2』 p.218

🔍 어휘력 확장하기

효 效 본받을 효

효율적 | 들인 노력이나 힘에 비해 얻는 결과가 큰 것.
효능 | 좋은 결과를 나타내는 능력.
효력 | 약 등을 사용한 뒤에 얻는 좋은 결과.

과 果 열매 과

과수원 | 사과나무나 배나무와 같은 과일나무를 많이 심어 놓은 밭.
성과 | 어떤 일을 이루어 낸 결과.

9월 6일

23학년도 수능

손해 損害 (덜 손, 해로울 해)

1 돈, 재산 등을 잃거나 정신적으로 해를 입음.
예) 잘못된 투자로 인해 막대한 **손해**가 생겼다.

> 게다가 탄소 국경세에 해당되는 6개 품목은 모두 우리나라의 기초 산업일 뿐만 아니라 대표적인 수출 품목이기 때문에, 여기에 세금이 많이 부과되면 **손해**를 입을지도 몰라요.
> 출처: 『똑똑한 초등신문 2』 p.182

🔍 어휘력 확장하기

손 損 덜 손

손상 | 어떤 물건이 깨지거나 상함.
손실 | 줄거나 잃어버려서 손해를 봄.
손익 | 손해와 이익.
훼손 | 가치나 이름, 체면 등을 상하게 함.

해 害 해로울 해

해충 | 이, 벼룩, 회충 등과 같이 사람에게 해를 끼치는 벌레.
공해 | 산업과 교통의 발달 등으로 생활 환경이 입게 되는 피해.
피해 | 생명이나 신체, 재산, 명예 등에 손해를 입음. 또는 그 손해.
해코지 | 남을 괴롭히거나 해치려고 하는 짓.

4월 24일

25학년도 수능

흡수하다 吸收 (숨 들이쉴 흡, 거둘 수)

1 안이나 속으로 빨아들이다.
- 예) 몸이 영양분을 **흡수**하다.

> 한 연구에 따르면, 자연림이 인공 산림보다 40배나 더 많은 탄소를 **흡수할** 수 있다고 해요.
>
> 출처: 『똑똑한 초등신문 2』 p.176

🔍 어휘력 확장하기

흡 吸 숨 들이쉴 흡

흡연 | 담배를 피움.
흡입 | 기체나 액체 등을 빨아들임.
호흡 | 숨을 쉼. 또는 그 숨.

수 收 거둘 수

수입 | 어떤 일을 하여 돈이나 물건 등을 거두어들임.
수확 | 심어서 가꾼 농작물을 거두어들임.
수록 | 자료를 책이나 음반 등에 실음.
수용 | 사람이나 물건 등을 일정한 장소나 시설에 모아 넣음.
수집 | 흩어져 있던 것을 거두어 모음.

9월 5일

23학년도 수능

소통   疏通 (트일 소, 통할 통)

1 오해가 없도록 뜻이나 생각이 서로 잘 통함.
   예) 그는 외국어로 **소통**을 잘한다.

> 이에 도로 교통공단은 보행자와 운전자의 비언어적 **소통**이 원활하게 되도록 횡단보도 손짓 캠페인을 진행했어요.
>
> 출처: 『똑똑한 초등신문 2』 p.62

🔍 어휘력 확장하기

소 疏 트일 소

소외 | 어떤 무리에서 멀리하거나 따돌림.
소명하다 | 사정이나 이유를 알아내 설명하다.
소홀하다 | 중요하게 생각하지 않아 주의나 정성이 부족하다.

통 通 통할 통

통용 | 일반적으로 널리 씀.
통과 | 검사, 시험 등에서 해당 기준이나 조건에 맞아 인정되거나 합격함.
통역 | 다른 나라 말을 사용하는 사람들 사이에서 뜻이 통하도록 말을 옮겨 줌.
교통 | 자동차, 기차, 배, 비행기 등의 탈것을 이용하여 사람이나 짐이 오고 가는 일.

4월 25일

24학년도 수능

가능성 可能性 (옳을 가, 능할 능, 성품 성)

1 어떤 일이 앞으로 이루어질 수 있는 성질.
   예 일이 실패할 **가능성**이 크다.
2 앞으로 성장할 수 있는 성질.
   예 너에겐 무한한 **가능성**이 있다.

이러한 외래 동물들은 사람들을 공격할 수도 있고, 한국의 생태계에도 나쁜 영향을 미칠 **가능성**이 커요.

출처: 『똑똑한 초등신문 1』 p.198

과학자들의 이 같은 아이디어가 실현 **가능성**이 있을지 아닐지 아직은 잘 몰라요.

출처: 『똑똑한 초등신문 2』 p.137

🔍 어휘력 확장하기

가 可 옳을 가

가능 | 할 수 있거나 될 수 있음.
가결 | 회의에 제출된 안건을 좋다고 인정하여 결정함.

능 能 능할 능

본능 | 생물체가 자연적으로 타고나서 하게 되는 동작이나 운동.
재능 | 어떤 일을 잘할 수 있는 재주와 능력.

9월 4일

23학년도 수능

사례 事例 (일 사, 법식 례)

1 이전에 실제로 일어난 예.
  예 그 사람은 어려운 환경에서 성공한 **사례**이다.

> 이전에도 죽은 새끼를 땅에 묻은 **사례**가 발견된 적이 종종 있었어요.
>
> 출처: 『똑똑한 초등신문 2』 p.85

어휘력 확장하기

사 事 일 사

사실 | 실제로 있었던 일이나 현재 일어나고 있는 일.
사정 | 일의 형편이나 이유.
사태 | 일이 되어 가는 상황이나 벌어진 일의 상태.
사사건건 | 해당되는 모든 일마다.
사필귀정 | 모든 일은 반드시 올바른 길로 돌아감.

례(예) 例 법식 례(예)

예외 | 일반적인 규칙이나 예에서 벗어나는 일.
예시 | 예를 들어 보임.
관례 | 한 사회에서 오래 전부터 반복적으로 일어나 관습처럼 된 일.

4월 26일

24학년도 수능

갈등 葛藤 (칡갈, 등나무 등)

1 서로 생각이 달라 부딪치는 것.
> 예) 두 사람 사이의 **갈등**이 깊어졌다.

하지만 미국은 여전히 인종 간 **갈등**과 소득 불평등 등 사회, 경제적인 문제를 가지고 있어요.

출처: 『똑똑한 초등신문 1』 p.66

이렇게 기업과 창작자 간의 **갈등**은 일단 마무리되었지만, 전문가들은 OTT 스트리밍 시대가 가져온 대혼란은 계속될 것으로 보고 있어요.

출처: 『똑똑한 초등신문 2』 p.105

🔍 어휘력 확장하기

갈 葛 칡 갈

갈등하다 | 서로 생각이 달라 부딪치다.

등 藤 등나무 등

등나무 | 봄에 향기로운 연한 보랏빛 꽃이 송이를 이루어 피는 큰 덩굴나무.

9월 3일

23학년도 수능

비판 批判 (비평할 비, 판가름할 판)

1 무엇에 대해 자세히 따져 옳고 그름을 밝히거나 잘못된 점을 지적함.
예 그 영화는 많은 **비판**을 받았다.

> **비판**은 사실에 대한 자신의 의견을 건강하게 표현하는 것이지만, 혐오는 특정 대상을 미워하기만 하면서 사실과 관계없는 감정적인 표현을 거칠게 내뱉는 것이에요.
>
> 출처: 『똑똑한 초등신문 1』 p.60

어휘력 확장하기

비 批 비평할 비

비평 | 옳고 그름, 아름다움과 추함 등을 분석하여 사물의 가치를 논함.

판 判 판가름할 판

판사 | 대법원을 제외한 법원의 법관.
판단 | 논리나 기준에 따라 어떠한 것에 대한 생각을 정함.
심판 | 어떤 문제나 사람에 대하여 잘잘못을 따져 결정을 내림.

4월 27일

24학년도 수능

강조하다 強調 (강할 강, 고를 조)

1 어떤 것을 특히 두드러지게 하거나 강하게 주장하다.
　예 선생님이 **강조**하여 설명하신 부분을 다시 읽어 보았다.

> 이산화탄소 배출량이 증가하고 지구 온도도 계속 높아지고 있으며, 현재 기후 위기는 돌이킬 수 없는 상태가 되어가고 있다고 강조했어요.
>
> 출처: 『똑똑한 초등신문 1』 p.188

🔍 어휘력 확장하기

강 強 강할 강

강요 | 어떤 일을 강제로 요구함.
강제 | 권력이나 힘으로 남이 원하지 않는 일을 억지로 시킴.

조 調 고를 조

조사 | 어떤 일이나 사물을 알기 위하여 자세히 살펴보거나 찾아봄.
조정 | 어떤 기준이나 상황에 맞게 바로잡아 정리함.
조절하다 | 균형에 맞게 바로잡거나 상황에 알맞게 맞추다.
조화롭다 | 서로 잘 어울리는 성질이 있다.

9월 2일

23학년도 수능

비례하다 比例 (견줄 비, 법식 례)

---

1 한쪽의 수나 양이 변함에 따라 다른 쪽의 수나 양도 일정하게 변하다.
  예 성장기 때는 몸무게도 키와 **비례**하여 늘어나게 된다.

🔍 어휘력 확장하기

비 比 견줄 비

비교 | 둘 이상의 것을 함께 놓고 어떤 점이 같고 다른지 살펴봄.
비유 | 어떤 것을 효과적으로 설명하기 위해 그것과 비슷한 다른 것에 빗대어 설명하는 일.
비율 | 기준이 되는 수나 양에 대한 어떤 값의 비.
비중 | 다른 것과 비교했을 때 가지는 중요성의 정도.
대비 | 두 가지의 차이를 알아보기 위해 서로 비교함. 또는 그런 비교.

례(예) 例 법식 례(예)

예 | 어떤 것을 설명하거나 주장하기 위한 실제 본보기가 되는 것.
예외 | 일반적인 규칙이나 예에서 벗어나는 일.
예문 | 단어나 내용을 설명하기 위해 예를 들어 보여 주는 문장.
예사롭다 | 흔히 있거나 일어날 만하다.

4월 28일

24학년도 수능

개별 個別 (낱 개, 다를 별)

1 하나씩 따로 떨어져 있는 상태.
  예) 현장 체험 학습에서 **개별** 행동을 하면 위험하다.

복잡한 것을 풀어서 **개별**적인 요소나 성질로 나누다.

출처: 『똑똑한 초등신문 2』 p.259

🔍 어휘력 확장하기

개 個 낱 개

개성 | 다른 것과 구별되는 고유의 특성.
개인 | 어떤 단체나 조직을 이루는 한 사람 한 사람.

별 別 다를 별

별개 | 서로 달라 관련되는 것이 없음.
별도 | 원래의 것에 덧붙여 추가되거나 따로 마련된 것.
별일 | 드물고 이상한 일.
이별 | 오랫동안 만나지 못하게 떨어져 있거나 헤어짐.
차별 | 둘 이상을 차등을 두어 구별함.

9월 1일

23학년도 수능

분류 分類 (나눌 분, 무리 류)

1 여럿을 종류에 따라서 나눔.
   예) 재활용 쓰레기는 **분류**를 해서 버려야 한다.

위성은 행성 주위를 도는 천체의 한 **분류**로 지구의 유일한 천연 위성은 달이에요.

출처: 『똑똑한 초등신문 1』 p.158

어휘력 확장하기

분 分 나눌 분

분수 | 어떤 수를 다른 수로 나눈 것을 분자와 분모로 나타낸 것.
분포 | 일정한 범위에 나뉘어 흩어져 있음.
분석 | 어떤 현상이나 사물을 여러 요소나 성질로 나눔.
구분 | 어떤 기준에 따라 전체를 몇 개의 부분으로 나눔.

류(유) 類 무리 류(유)

유형 | 성질이나 특징, 모양 등이 비슷한 것끼리 묶은 하나의 무리.
유례 | 같거나 비슷한 예.
유사 | 서로 비슷함.
유유상종 | 비슷한 특성을 가진 사람들끼리 서로 어울려 사귐.

4월 29일

24학년도 수능

개입 介入 (끼일 개, 들 입)

---

1 직접적인 관계가 없는 일에 끼어듦.
　예 남의 일에 **개입**을 하는 것은 좋지 않다.

> 넛지 효과는 부드러운 **개입**을 통해 사람들이 어떤 선택을 하도록 이끄는 것을 뜻해요.
> 　　　　　　　　　　　　　　　　출처: 『똑똑한 초등신문 2』 p.63
>
> 이 지역은 아직도 프랑스의 정치적 **개입**에서 벗어나지 못했고, 정치 부패가 심했어요.
> 　　　　　　　　　　　　　　　　출처: 『똑똑한 초등신문 2』 p.98

🔍 어휘력 확장하기

개 介 끼일 개

소개 | 서로 모르는 사람들 사이에서 양쪽이 알고 지내도록 맺어 줌.
중개 | 어떤 일에 상관없는 사람이 두 당사자 사이에 서서 일을 주선함.

입 入 들 입

입시 | 입학하기 위해 치르는 시험.
입학 | 학생이 되어 공부하기 위해 학교에 들어감.
구입 | 물건 등을 삼.
도입 | 지식, 기술, 물자 등을 들여옴.

9월

1. 분류
2. 비례하다
3. 비판
4. 사례
5. 소통
6. 손해
7. 시야
8. 심화
9. 요건
10. 위반
11. 위엄
12. 의견
13. 이론
14. 절실하다
15. 어휘 퀴즈
16. 정리하다
17. 제기하다
18. 주체
19. 중심
20. 증명하다
21. 지속적
22. 지식
23. 창작
24. 초기
25. 촉진하다
26. 측정하다
27. 토대
28. 평등하다
29. 행정
30. 어휘 퀴즈

초성으로 맞히는 어휘 퀴즈

4월 30일

다음은 어떤 어휘의 뜻일까요? 어휘를 직접 써 보세요.

16 느낌이나 생각 등을 말, 글, 몸짓 등으로 나타내어 겉으로 드러냄. `ㅍㅎ`

17 배워서 익힘. `ㅎㅅ`

18 사건이나 문제, 일 등을 잘 처리해 끝을 내다. `ㅎㄱㅎㄷ`

19 오래된 풍속, 관습, 조직, 방법 등을 완전히 바꾸어서 새롭게 함. `ㅎㅅ`

20 여러 가지를 뒤섞어 한데 합함. `ㅎㅎ`

21 흩어져 널리 퍼짐. `ㅎㅅ`

22 굳게 믿다. `ㅎㅅㅎㄷ`

23 어떠한 것을 하여 얻어지는 좋은 결과. `ㅎㄱ`

24 안이나 속으로 빨아들이다. `ㅎㅅㅎㄷ`

25 어떤 일이 앞으로 이루어질 수 있는 성질. `ㄱㄴㅅ`

26 서로 생각이 달라 부딪치는 것. `ㄱㄷ`

27 어떤 것을 특히 두드러지게 하거나 강하게 주장하다. `ㄱㅈㅎㄷ`

28 하나씩 따로 떨어져 있는 상태. `ㄱㅂ`

29 직접적인 관계가 없는 일에 끼어듦. `ㄱㅇ`

여러분이 지난 14일 동안 매일 하나씩 공부했던 어휘들을 다시 보면서 정답을 확인해 보세요.
어휘의 뜻을 다시 확인하고 되새겨 본다면 여러분의 어휘력은 무한하게 확장될 거예요.
가족이나 친구들과도 함께 퀴즈를 풀면서 재미있게 어휘력을 키워 보세요.

초성으로 맞히는 어휘 퀴즈

8월 31일

다음은 어떤 어휘의 뜻일까요? 어휘를 직접 써 보세요.

16 다른 사람의 마음이나 생각에 대해 자신도 그렇다고 똑같이 느낌. `ㄱㄱ` _____

17 두 사람 이상이 어떤 것을 함께 가지고 있다. `ㄱㅇㅎㄷ` _____

18 능력이나 솜씨 등을 자랑스럽게 드러내다. `ㄱㅅㅎㄷ` _____

19 둘 이상의 사람·사물·현상 등이 서로 관련을 맺음. 또는 그런 관련. `ㄱㄱ` _____

20 어떤 일에 대한 견해나 생각. `ㄱㄴ` _____

21 사물이나 현상을 보고 생각하는 개인의 입장 또는 태도. `ㄱㅈ` _____

22 몇 가지의 부분 혹은 요소를 모아서 하나의 전체가 이루어지다. `ㄱㅅㄷㄷ` _____

23 범위나 한계를 일정한 부분이나 정도에 한정하다. `ㄱㅎㅎㄷ` _____

24 어떤 사실이나 생각을 적거나 영상으로 남기다. `ㄱㄹㅎㄷ` _____

25 이미 존재함. `ㄱㅈ` _____

26 둘 사이에서 양쪽의 관계를 맺어 줌. `ㅁㄱ` _____

27 다른 사람의 의견이나 사실 등으로부터 영향을 받아 어떤 현상을 드러내다. `ㅂㅇㅎㄷ` _____

28 남에게 입힌 손해를 물어 주다. `ㅂㅅㅎㄷ` _____

29 포함하지 않고 제외시켜 빼놓다. `ㅂㅈㅎㄷ` _____

30 안에서 만들어진 것을 밖으로 밀어 내보내다. `ㅂㅊㅎㄷ` _____

5월

1. 개최하다
2. 견해
3. 경계하다
4. 고정되다
5. 공정하다
6. 관련
7. 관심
8. 구체적
9. 권리
10. 규정
11. 근원
12. 금지하다
13. 기반
14. 기회
15. **어휘 퀴즈**
16. 능동적
17. 대체
18. 도달하다
19. 동의
20. 만족스럽다
21. 목표
22. 묘사하다
23. 발견하다
24. 발생하다
25. 방책
26. 보도하다
27. 보완하다
28. 부응하다
29. 비교하다
30. 선택
31. **어휘 퀴즈**

8월 30일

23학년도 수능

배출하다 排出 (물리칠 배, 날 출)

1 안에서 만들어진 것을 밖으로 밀어 내보내다.
   예 오늘은 쓰레기를 **배출**하는 날이다.

> 국제 환경단체 그린피스의 조사 결과에 따르면, 종이컵이 1년간 **배출하는** 온실가스는 자동차 6만 2,201대에서 나오는 탄소 배출량과 같다고 해요.
>
> 출처: 『똑똑한 초등신문 2』 p.40

🔍 어휘력 확장하기

배 排 물리칠 배

배제 | 받아들이거나 포함하지 않고 제외시켜 빼놓음.
배설 | 생물체가 영양소를 섭취한 후 생긴 노폐물을 몸 밖으로 내보내는 일.
배타적 | 남을 싫어하여 거부하고 따돌리는 경향이 있는 것.

출 出 날 출

출구 | 밖으로 나갈 수 있는 문이나 통로.
출석 | 수업이나 모임 등에 나아가 참석함.
출력 | 컴퓨터 등의 기기가 입력을 받아 일을 하고 밖으로 결과를 내는 일.
일출 | 해가 떠오름.

5월 1일

24학년도 수능

개최하다 開催 (열 개, 재촉할 최)

1 모임·행사·경기 등을 조직적으로 계획하여 열다.
   예 우리 학교는 학교 문화제를 **개최**했다.

> 1900년과 1924년에 올림픽을 **개최했던** 프랑스는 2024년, 올해 세 번째로 올림픽을 열어요.
>
> 출처:『똑똑한 초등신문 2』 p.198

🔍 어휘력 확장하기

개 開 열 개

개강 | 대학이나 학원 등에서 한 학기의 강의를 시작함.
개봉 | 함부로 열지 못하게 단단히 붙이거니 싸 두었던 물건을 엶.
개학 | 학교에서 방학이나 휴교 등으로 쉬었다가 다시 수업을 시작함.
개발 | 토지나 천연자원 등을 이용하기 쉽거나 쓸모 있게 만듦.
공개 | 어떤 사실이나 사물, 내용 등을 사람들에게 널리 알림.

최 催 재촉할 최

주최하다 | 행사나 모임을 책임지고 맡아 기획하여 열다.
최면 | 암시에 의해 인위적으로 잠이 든 것처럼 만든 상태.

8월 29일

23학년도 수능

배제하다 排除 (물리칠 배, 덜 제)

1 받아들이거나 포함하지 않고 제외시켜 빼놓다.
  예) 지난 일에 대해 감정을 **배제**하고 다시 생각해 보았다.

어휘력 확장하기

배 排 물리칠 배

배출 | 안에서 만들어진 것을 밖으로 밀어 내보냄.
배설 | 생물체가 영양소를 섭취한 후 생긴 노폐물을 몸 밖으로 내보내는 일.
배타적 | 남을 싫어하여 거부하고 따돌리는 경향이 있는 것.

제 除 덜 제

제거 | 없애 버림.
제외 | 어떤 대상이나 셈에서 뺌.
제대 | 군인이 복무를 마치고 군대에서 나옴.
면제 | 책임이나 의무에서 벗어나게 함.
해제 | 설치했거나 갖추어 차린 것 등을 풀어 없앰.
삭제 | 없애거나 지움.

5월 2일

견해 見解 (볼견, 풀해)

24학년도수능

1 사람, 사물이나 현상에 대해 사람마다 가지는 의견이나 생각.
  예 대화를 통해 상대방의 **견해**를 알 수 있다.

확증 편향이란, 자신이 맞는다는 것을 확인해 주는 정보만 적극적으로 찾고 자신의 **견해**와 반대되는 증거는 무시해 버리는 경향을 말해요.

출처: 『똑똑한 초등신문 2』 p.72

🔍 어휘력 확장하기

견 見 볼 견

견학 | 어떤 일과 관련된 곳을 직접 찾아가서 보고 배움.
의견 | 어떤 대상이나 현상 등에 대해 나름대로 판단하여 가지는 생각.
참견 | 자기와 관계가 없는 일에 끼어들어 나서거나 말함.

해 解 풀 해

해석 | 문장으로 표현된 내용을 이해하고 설명함. 또는 그 내용.
해답 | 질문이나 문제를 풀이함. 또는 그런 것.
해명 | 이유나 내용 등을 풀어서 밝힘.
해열제 | 몸의 열을 내리게 하는 약.

8월 28일

배상하다 賠償 (물어줄 배, 갚을 상)

23학년도 수능

1 남에게 입힌 손해를 물어 주다.
- 예) 친구의 학용품을 망가뜨려서 **배상**했다.

어휘력 확장하기

배 賠 물어줄 배

배상금 | 남에게 입힌 손해를 물어 주기 위한 돈.

상 償 갚을 상

보상 | 남에게 진 빚이나 받은 물건을 갚음.
무상 | 어떤 일이나 물건에 대한 값을 치르거나 받지 않음.
유상 | 어떤 행위에 대해 보상이 있음.
상환 | 빌린 돈이나 물건 등을 갚거나 돌려줌.

5월 3일

경계하다 警戒 (경계할 경, 경계할 계)

24학년도 수능

1. 뜻밖의 사고나 위험이 생기지 않도록 살피고 조심하다.
   - 예) 사고가 다시 일어나지 않도록 항상 **경계**해야 한다.
2. 옳지 않은 일 또는 잘못된 행동이나 생각을 하지 않도록 주의하다.
   - 예) 게으름을 **경계**하고 부지런하게 살자.

특히 자신처럼 말미잘을 좋아하는 동종이 다가오면 더 **경계하며** 사납게 공격해요.

출처: 『똑똑한 초등신문 2』 p.156

어휘력 확장하기

경 警 경계할 경

- **경찰** | 사회의 질서를 지키고 국민의 안전과 재산을 보호하는 기관.
- **경고** | 위험한 일을 조심하거나 삼가도록 미리 일러서 주의를 줌.
- **경비실** | 도난 등의 사고가 일어나지 않도록 지키는 사람이 지내는 장소.

계 戒 경계할 계

- **훈계하다** | 타일러서 앞으로 잘못이 없도록 주의를 주다.
- **계엄령** | 국가에 비상사태가 발생할 경우, 군대가 임시로 정부의 권한을 대신 한다는 명령.

8월 27일

반영하다 反映 (돌이킬 반, 비출 영)

23학년도 수능

1. 다른 사람의 의견이나 사실, 상황 등으로부터 영향을 받아 어떤 현상을 드러내다.
   - 예) 선생님은 이번 성적에 발표 점수를 **반영**한다고 하셨다.

🔍 어휘력 확장하기

반 反 돌이킬 반

- **반대** | 어떤 것이 다른 것과 모양, 위치, 방향, 속성 등에서 완전히 다름.
- **반발** | 어떤 상태나 행동 등에 대하여 반대함.
- **반복** | 같은 일을 여러 번 계속함.
- **반성** | 말이나 행동을 되돌아보면서 잘못을 살피거나 그것을 깨닫고 뉘우침.

영 映 비출 영

- **영화** | 일정한 의미를 갖고 움직이는 대상을 촬영하여 재현하는 종합 예술.
- **영상** | 영화, 텔레비전 등의 화면에 나타나는 모습.
- **상영** | 영화를 극장 등의 장소에서 화면으로 관객에게 보이는 일.
- **방영** | 텔레비전으로 방송을 내보냄.

5월 4일

24학년도 수능

고정되다 固定 (굳을 고, 정할 정)

1. 한번 정한 내용이 변경되지 않다.
   - 예) 3월에 정한 학급 일정은 **고정**되었다.
2. 한곳에서 움직이지 않다. 또는 움직이지 않게 되다.
   - 예) **고정**된 자세로 앉아 있기는 힘들다.

> 자전은 천체가 스스로 **고정**된 축을 중심으로 회전하는 운동이에요.
>
> 출처: 『똑똑한 초등신문 2』 p.138

어휘력 확장하기

고 固 굳을 고

고집 | 자기의 생각이나 주장을 굽히지 않고 버팀.
견고히 | 단단하고 튼튼하게.
확고하다 | 태도나 상황 등이 확실하고 굳세다.

정 定 정할 정

정의 | 어떤 말이나 사물의 뜻을 명확히 밝혀 분명하게 정함. 또는 그 뜻.
정착 | 일정한 곳에 자리를 잡아 머물러 삶.
결정 | 무엇을 어떻게 하기로 분명하게 정함.

8월 26일

23학년도 수능

매개 媒介 (중매 매, 끼일 개)

1 둘 사이에서 양쪽의 관계를 맺어 줌.
  예) 사람들은 언어라는 **매개**를 통해 소통한다.

유엔식량농업기구(FAO)에 따르면, 전 세계 식량의 90%를 차지하는 100대 주요 농산물 중 71종이 꿀벌의 화분 **매개**에 의존하고 있고요, 이것의 경제적 가치는 690조 원에 이른다고 해요.

출처: 『똑똑한 초등신문 2』 p.164

어휘력 확장하기

매 媒 중매 매

매체 | 어떤 사실을 널리 전달하는 물체나 수단.
중매 | 결혼이 이루어지도록 남녀를 소개하는 일.
용매 | 어떤 물질을 녹이는 데 쓰는 액체.

개 介 끼일 개

소개 | 서로 모르는 사람들 사이에서 양쪽이 알고 지내도록 맺어 줌.
개입 | 직접적인 관계가 없는 일에 끼어듦.
중개 | 어떤 일에 상관없는 사람이 두 당사자 사이에 서서 일을 주선함.

5월 5일

공정하다   公正 (공변될 공, 바를 정)

24학년도 수능

1 한쪽으로 치우치지 않고 객관적이고 올바르다.
  - 예) 심사 위원들은 **공정**한 심사를 했다.

공정무역이란, 개발도상국의 생산자와 선진국이 **공정한** 과정을 통해 동등한 혜택을 얻는 무역을 말해요.

출처: 『똑똑한 초등신문 1』 p.38

'여자는 이렇다, 남자는 저렇다'라는 식으로 **공정하지** 못하게 한쪽으로 치우친 생각을 하는 것을 성별 편견이라고 해요.

출처: 『똑똑한 초등신문 1』 p.105

🔍 어휘력 확장하기

공   公 공변될 공

공개 | 어떤 사실이나 사물, 내용 등을 사람들에게 널리 알림.
공원 | 사람들이 놀고 쉴 수 있도록 가꾸어 놓은 넓은 장소.
공무원 | 국가나 지방 공공 단체의 업무를 담당하는 사람.
공공장소 | 도서관, 공원, 우체국 등 여러 사람이 함께 이용하는 곳.

정   正 바를 정

정답 | 어떤 문제나 질문에 대한 옳은 답.
정정 | 글자, 글, 말 등의 잘못된 곳을 고쳐서 바로잡음.

8월 25일

23학년도 수능

기존 既存 (이미 기, 있을 존)

1 이미 존재함.
  예) 새 학기가 되자, **기존** 학칙이 많이 바뀌었다.

> 또 편의점 GS25에서는 **기존** 제품보다 9배 가까이 큰 컵라면을 출시해 큰 인기를 끌기도 했어요.
>
> 출처: 『똑똑한 초등신문 2』 p.18

🔍 어휘력 확장하기

기 既 이미 기

기혼자 | 이미 결혼한 사람.
기성복 | 표준 치수에 따라 이미 여러 벌을 만들어 놓고 파는 옷.
기득권 | 개인이나 집단 등이 전부터 이미 가지고 있는 권리.
기정사실 | 이미 결정되어 있는 일.
기성세대 | 현재 사회를 이끌어 가는 나이가 든 세대.

존 存 있을 존

생존 | 살아 있음. 또는 살아남음.
존재 | 실제로 있음. 또는 그런 대상.

5월 6일

24학년도 수능

관련 關聯(連) (빗장 관, 잇닿을 련)

1 둘 이상의 사람, 사물, 현상 등이 서로 관계를 맺고 있음. 또는 그 관계.
   예 이번 사건과 나는 아무런 **관련**이 없다.

> 미국 실리콘밸리 기업들이 직원들을 해고한 것은 AI와 **관련**이 있어요.
>
> 출처: 『똑똑한 초등신문 2』 p.80

어휘력 확장하기

관 關 빗장 관

관계 | 둘 이상의 사람, 사물, 현상 등이 서로 관련을 맺음. 또는 그런 관련.
관심 | 어떤 것을 향하여 끌리는 감정과 생각.

련(연) 聯 잇닿을 련(연)

연합 | 여러 단체들을 합쳐서 하나의 조직을 만듦. 또는 그렇게 만든 조직.
연상 | 하나의 생각이 다른 생각을 불러일으키는 현상.

련(연) 連 잇닿을 련(연)

연결 | 둘 이상의 사물이나 현상 등이 서로 이어지거나 관계를 맺음.
연속 | 끊이지 않고 계속 이어짐.

8월 24일

23학년도 수능

기록하다 記錄 (기록할 기, 기록할 록)

1 주로 후일에 남길 목적으로 어떤 사실이나 생각을 적거나 영상으로 남기다.
   예 오늘 있었던 일을 일기장에 **기록**했다.

> 알타미라 동굴 벽화의 표식이 달력이었다는 사실은 구석기 시대 수렵 채집인들이 당시에 일어났던 중요한 일들을 **기록해** 두며 시간에 대해 생각하고 측정했다는 것을 의미해요.
>
> 출처: 『똑똑한 초등신문 2』 p.221

🔍 어휘력 확장하기

기 記 기록할 기

기억 | 이전의 사실, 지식, 경험 등을 잊지 않거나 다시 생각해 냄.
기자 | 신문, 잡지, 방송 등에 실을 기사를 조사하여 쓰거나 편집하는 사람.
일기 | 날마다 그날그날 겪은 일이나 생각, 느낌 등을 적은 글.

록(녹) 錄 기록할 록(녹)

녹음 | 소리를 테이프나 시디 등의 기계 장치에 기록함.
녹화 | 실제 모습이나 동작을 나중에 다시 보기 위해서 기계 장치에 담아 둠.
등록 | 허가나 인정을 받기 위해 이름 등을 문서에 기록되게 하는 것.
목록 | 어떤 것들의 이름이나 제목 등을 일정한 순서로 적은 것.
수록 | 자료를 책이나 음반 등에 실음.

5월 7일

24학년도 수능

관심 關心 (빗장 관, 마음 심)

1 어떤 것을 향하여 끌리는 감정과 생각.
   예 나는 공부보다는 운동에 **관심**이 많다.

> 동물 복지에 대한 사람들의 **관심**이 높아지면서 비윤리적인 과정을 통해 만들어진 제품을 사용하지 않겠다는 사람들이 많아지고 있어요.
>
> 출처: 『똑똑한 초등신문 1』 p.78

🔍 어휘력 확장하기

관 關 빗장 관

관련 | 둘 이상의 사람, 사물, 현상 등이 서로 관계를 맺고 있음. 또는 그 관계
관계 | 둘 이상의 사람, 사물, 현상 등이 서로 관련을 맺음. 또는 그런 관련.
상관 | 서로 관련을 맺음.
현관 | 건물의 출입문이 있는 문간.

심 心 마음 심

심리 | 마음의 움직임이나 의식의 상태.
심정 | 마음속에 가지고 있는 감정과 생각.
결심 | 어떻게 하기로 굳게 마음을 정함. 또는 그런 마음.
심술궂다 | 남을 괴롭히거나 남이 잘못되기를 바라는 마음이 많다.

8월 23일

23학년도 수능

국한하다 局限 (판 국, 한계 한)

1 범위나 한계를 일정한 부분이나 정도에 한정하다.
  예) 관심 분야에만 **국한**하지 않고 다양한 책을 읽자.

🔍 어휘력 확장하기

국 局 판 국

국면 | 어떤 일이 진행되어 가는 상황.
국소 | 전체 가운데 어느 한 부분.
당국 | 어떤 일을 담당하여 책임을 지는 정부 기관.
시국 | 현재 놓여 있는 나라 안팎의 형편이나 상황.
파국 | 일이나 사태가 잘못되어 망가져 버림. 또는 그 판국.

한 限 한계 한

한도 | 그 이상을 넘지 않도록 정해진 정도나 범위.
한정 | 수량이나 범위 등을 제한하여 정함. 또는 그런 한도.
최대한 | 일정한 조건에서 가능한 한 가장 많이.
무한 | 수나 양, 크기, 공간이나 시간의 끝이나 제한이 없음.
기한 | 미리 정해 놓은 시기.
한없이 | 끝이 없이.

5월 8일

구체적 具體的 (갖출 구, 몸 체, 과녁 적)

24학년도 수능

1. 눈으로 직접 볼 수 있게 형태를 갖춘 (것).
   - 예) 선생님은 배드민턴채를 잡는 법을 **구체적**으로 보여 주셨다.
2. 실제적이고 자세한 (것).
   - 예) 현장 체험 학습의 **구체적**인 계획은 아직 정해지지 않았다.

> 과학자들은 추가 연구를 통해 초대형 수달이 어떻게 멸종하게 되었는지 더 **구체적**으로 밝혀낼 계획이라고 해요.
>
> 출처: 『똑똑한 초등신문 1』 p.135

🔍 어휘력 확장하기

구 具 갖출 구

- **가구** | 집 안에서 쓰이는 침대, 옷장, 식탁 등과 같은 도구.
- **도구** | 어떤 일을 할 때 쓰이는 기구. 또는 연장.
- **문구점** | 학용품과 사무용품 따위를 파는 곳.

체 體 몸 체

- **체중** | 몸의 무게.
- **신체** | 사람의 몸.
- **주체** | 어떤 단체나 물건의 중심이 되는 부분.

8월 22일

23학년도 수능

구성되다 構成 (얽을 구, 이룰 성)

1 몇 가지의 부분 혹은 요소를 모아서 하나의 전체가 이루어지다.
   예 종합 영양제는 여러 성분으로 **구성**되어 있다.
2 이야기를 이루는 여러 요소가 결합하여 전체적인 통일을 이루게 되다.
   예 그 책은 이야기의 전개가 흥미롭게 **구성**되었다.

> 자료에 따르면 Z세대가 백인이 다수 인종을 이루는 마지막 세대가 될 것이며, 20년 후에는 미국 인구의 과반이 유색인종으로 **구성**될 거라고 내다봤어요.
>
> 출처: 『똑똑한 초등신문 2』 p.92

어휘력 확장하기

구 構 얽을 구

구조 | 여러 부분이나 요소들이 서로 어울려 전체를 이룸.
허구 | 사실과 다르거나 실제로는 없었던 일을 사실처럼 꾸며 만듦.

성 成 이룰 성

성인 | 어른이 된 사람.
성장 | 사람이나 동물 등이 자라서 점점 커짐.
찬성 | 다른 사람의 의견이나 생각 등이 좋다고 인정해 뜻을 같이함.

5월 9일

24학년도 수능

권리 權利 (권세 권, 이로울 리)

1 어떤 일을 하거나 다른 사람에게 요구할 수 있는 정당한 힘이나 자격.
  예 민주주의 국가에서는 투표를 통해 국민의 **권리**를 행사한다.

이처럼 한국에서도 디지털 환경에서 아동의 **권리**가 법으로 보장받을 수 있어야 한다는 인식이 커지고 있어요.

출처: 『똑똑한 초등신문 2』 p.61

🔍 어휘력 확장하기

권 權 권세 권

권력 | 남을 복종시키거나 지배하는 데에 쓸 수 있는, 사회적인 권리와 힘.
권위 | 특별한 능력, 자격, 지위로 남을 이끌어서 따르게 하는 힘.
권한 | 사람이 자신의 역할이나 직책으로부터 받은 권리.
결정권 | 결정을 할 수 있는 권한.

리(이) 利 이로울 리(이)

이기적 | 자신의 이익만을 생각하는 것.
이익 | 물질적으로나 정신적으로 보탬이나 도움이 되는 것.
유리하다 | 이익이 있다.

8월 21일

23학년도 수능

관점 觀點 (볼 관, 점찍을 점)

1 사물이나 현상을 보고 생각하는 개인의 입장 또는 태도.
   예) 나는 책을 읽고 새로운 **관점**으로 독후감을 썼다.

> 주관이란 자기만의 생각이나 **관점**을 말한다.
> 출처: 『똑똑한 초등신문 2』 p.268

🔍 어휘력 확장하기

관 觀 볼 관

관념 | 어떤 일에 대한 견해나 생각.
관광 | 어떤 곳의 경치, 상황, 풍속 등을 찾아가서 구경함.
관객 | 운동 경기, 영화, 연극, 음악회, 무용 공연 등을 구경하는 사람.
관람 | 전시품이나 공연, 영화, 운동 경기 등을 구경하는 것.
관측 | 자연 현상을 자세히 살펴보아 어떤 사실을 짐작하거나 알아냄.

점 點 점찍을 점

점 | 작고 둥글게 찍은 표시.
점수 | 성적을 나타내는 숫자.
점심 | 아침과 저녁 식사 중간에, 낮에 하는 식사.

5월 10일

24학년도 수능

규정 規定 (법 규, 정할 정)

1. 규칙으로 정함. 또는 그렇게 정해 놓은 것.
   - 예) **규정**을 어기면 벌금을 내야 한다.
2. 내용, 성격, 의미 등을 분명하게 정함. 또는 그렇게 정해 놓은 것.
   - 예) 음악 장르를 명확하게 **규정**을 짓기는 어렵다.

국가지정문화재 보물은 문화재청장이 문화재보호법 제23~26조까지의 **규정**에 따라 지정한 문화재를 말해요.

출처: 『똑똑한 초등신문 1』 p.70

🔍 어휘력 확장하기

규 規 법 규

- **규칙** | 여러 사람이 지키도록 정해 놓은 법칙.
- **규범** | 한 사회의 구성원으로서 따르고 지켜야 할 원리나 행동 양식.
- **규율** | 사회나 조직의 질서 유지를 위해 사람들이 따르도록 정해 놓은 규칙.
- **정규직** | 일정한 나이까지의 고용이 보장되며 전일제로 일하는 직위나 직무.

정 定 정할 정

- **정착** | 일정한 곳에 자리를 잡아 머물러 삶.
- **결정** | 무엇을 어떻게 하기로 분명하게 정함.

8월 20일

23학년도 수능

관념 觀念 (볼 관, 생각할 념)

1 어떤 일에 대한 견해나 생각.
   - 예) 나는 위생 **관념**이 강하다.
2 현실과는 차이가 있는 추상적이고 공상적인 생각.
   - 예) **관념**에 빠져있지 말고, 현실적인 생각을 하자.

어휘력 확장하기

관 觀 볼 관

관찰 | 사물이나 현상을 주의 깊게 자세히 살펴봄.
관점 | 사물이나 현상을 보고 생각하는 개인의 입장 또는 태도.
관중 | 운동 경기나 공연을 구경하기 위하여 모인 사람들.
관광 | 어떤 곳의 경치, 상황, 풍속 등을 찾아가서 구경함.
관객 | 운동 경기, 영화, 연극, 음악회, 무용 공연 등을 구경하는 사람.

념(염) 念 생각할 념(염)

신념 | 어떤 생각을 굳게 믿는 마음. 또는 그것을 이루려는 의지.
묵념 | 말없이 마음속으로 빎.
영려 | 앞으로 생길 일에 대해 불안해하고 걱정함. 또는 그런 걱정.

5월 11일

24학년도 수능

근원 根源 (뿌리 근, 근원 원)

1 어떤 일이 생기게 되는 바탕이나 원인.
  예 만병의 **근원**은 스트레스다.

🔍 어휘력 확장하기

근 根 뿌리 근

근거 | 생활이나 활동 등의 근본이 되는 곳.
근본 | 어떤 것의 본질이나 바탕.
연근 | 구멍이 많이 나 있으며 주로 조림 요리로 먹는, 연꽃의 뿌리.

원 源 근원 원

원천 | 물이 흘러나오기 시작하는 곳.
자원 | 광물, 수산물 등과 같이 인간 생활 및 경제 생산에 이용되는 원료.
전원 | 전기 콘센트 등과 같이 기계 등에 전류가 오는 원천.
어원 | 단어의 근원적인 형태. 또는 어떤 말이 생겨난 근원.
기원 | 사물이나 현상이 처음으로 생김. 또는 그 처음.

8월 19일

23학년도 수능

관계 關係 (빗장 관, 걸릴 계)

1 둘 이상의 사람·사물·현상 등이 서로 관련을 맺음. 또는 그런 관련.
   예 우리 반은 친구들과의 **관계**가 좋다.

> 웃음은 사람과 사람 사이의 **관계**도 더 끈끈하고 강하게 만드는데요, 이는 사람들은 자신을 웃게 만드는 사람들과 오래도록 함께하고 싶어 하기 때문이에요.
>
> 출처: 『똑똑한 초등신문 2』 p.106

🔍 어휘력 확장하기

관 關 빗장 관

관련 | 둘 이상의 사람, 사물, 현상 따위가 서로 관계를 맺고 있음.
관심 | 어떤 것을 향하여 끌리는 감정과 생각.
상관 | 서로 관련을 맺음.
현관 | 건물의 출입문이 있는 문간.

계 係 걸릴 계

이해관계 | 서로 이익과 손해가 걸려 있는 관계.
인간관계 | 사람과 사람, 또는 사람과 집단과의 관계.

5월 12일

24학년도 수능

금지하다 禁止 (금할 금, 그칠 지)

1 법이나 규칙이나 명령으로 어떤 행위를 하지 못하게 하다.
   예 출입을 금지해서 들어갈 수 없었다.

이에 더 나아가 탈레반 정부는 여성의 대학 교육까지 금지하고 나섰어요.

출처: 『똑똑한 초등신문 1』 p.118

프랑스에서는 학교 안에서 스마트폰 사용을 전면 금지하는 법이 통과됐고요.

출처: 『똑똑한 초등신문 2』 p.74

🔍 어휘력 확장하기

금 禁 금할 금

금연 | 담배를 피우는 것을 금지함.
금식 | 치료나 기도 등의 어떤 목적을 위하여 음식을 먹지 않음.
감금 | 자유롭게 드나들지 못하도록 일정한 곳에 가둠.

지 止 그칠 지

지혈 | 나오는 피를 멈추게 함.
정지 | 움직이고 있던 것이 멈춤. 또는 멈추게 함.
방지 | 어떤 좋지 않은 일이나 현상이 일어나지 않도록 막음.

8월 18일

23학년도 수능

과시하다 誇示 (자랑할 과, 보일 시)

1 자신의 능력이나 솜씨 등을 자랑스럽게 드러내다.
- 예 오빠는 요리 실력을 **과시**했다.

어휘력 확장하기

과 誇 자랑할 과

과장 | 사실에 비해 지나치게 크거나 좋게 부풀려 나타냄.
과대 | 실제보다 부풀려서 과장하는 것.
과대망상 | 지나치게 부풀려서 생각하고 그것을 사실로 믿어 버리는 증상.

시 示 보일 시

시범 | 모범이 되는 본보기를 보임.
시위 | 많은 사람들이 집회나 행진을 하며 의사를 표시하는 행동.
제시 | 무엇을 하고자 하는 생각을 말이나 글로 나타내어 보임.
전시 | 여러 가지 물품을 한곳에 벌여 놓고 보임.
표시 | 어떤 사항을 알리는 내용을 겉에 드러내 보임.
예시 | 예를 들어 보임.
게시판 | 알릴 내용을 여러 사람이 볼 수 있도록 붙여두는 판.
시사하다 | 미리 알아차릴 수 있도록 간접적으로 나타내거나 일러 주다.

5월 13일

24학년도 수능

기반 基盤 (터 기, 소반 반)

---

1 무엇을 하기 위해 기초가 되는 것.
  예) 아직 사업을 확장할 경제적 **기반**이 없다.

챗GPT는 인류 역사상 가장 똑똑한 인공지능 언어 모델인 GPT-3을 **기반**으로 만들어진 챗봇인데요, 기존의 챗봇들이 묻는 말에만 대답할 수 있고 맥락에 맞지 않는 말을 하기도 했다면, 챗GPT는 사람과 구별하기가 어려울 정도로 자연스럽게 대화를 할 수 있다고 해요.

출처: 『똑똑한 초등신문 1』 p.166

🔍 어휘력 확장하기

기 基 터 기

기본 | 무엇을 하기 전에 가장 먼저 해야 하는 것이나 꼭 있어야 하는 것.
기초 | 사물이나 일 등의 기본이 되는 바탕.

반 盤 소반 반

초반 | 어떤 일이나 일정한 기간의 처음 단계.
골반 | 허리 아래와 엉덩이 부분을 이루고 있는 뼈.
나침반 | 동, 서, 남, 북 방향을 알려 주는 기구.

8월 17일

23학년도 수능

공유하다 共有 (함께 공, 있을 유)

1 두 사람 이상이 어떤 것을 함께 가지고 있다.
  예) 우리는 인터넷으로 정보를 **공유**한다.

> 미국과 중국처럼 자기 나라 산업만 보호하는 '보호무역' 정책을 채택하는 나라들이 늘면서, 국가 간 무역 협력이 줄고 정보와 기술을 **공유하는** 일도 줄어들었어요.
>
> 출처: 『똑똑한 초등신문 2』 p.106

어휘력 확장하기

공 共 함께 공

공감 | 다른 사람의 마음이나 생각에 대해 자신도 그렇다고 똑같이 느낌.
공동체 | 같은 이념 또는 목적을 가지고 있는 집단.
공통점 | 여럿 사이에 서로 같은 점.

유 有 있을 유

유명 | 이름이 널리 알려져 있음.
유료 | 요금을 내게 되어 있음.
유리 | 이익이 됨.
유식하다 | 배워서 아는 것이 많다.

5월 14일

24학년도 수능

기회   機會 (틀 기, 모일 회)

1 어떤 일을 하기에 알맞은 시기나 경우.
  예 꿈을 펼칠 수 있는 **기회**를 잡았다.

이러한 빛 공해 문제를 해결하지 못한다면 우주를 관찰하고 탐사할 수 있는 **기회**를 잃게 되어요.

출처: 『똑똑한 초등신문 1』 p.220

🔍 어휘력 확장하기

기   機 틀 기

기계 | 일정한 일을 하는 도구나 장치.
기능 | 어떤 역할이나 작용을 함. 또는 그런 역할이나 작용.
비행기 | 사람이나 물건을 싣고 하늘을 날아다니는 탈것.

회   會 모일 회

회사 | 사업을 통해 이익을 얻기 위해 여러 사람이 모여 만든 법인 단체.
회장 | 모임을 대표하고 모임의 일을 책임지는 사람.
회의 | 여럿이 모여 의논함. 또는 그런 모임.
국회 | 국회 의원들로 이루어져, 법률을 만들고 행정부와 사법부를 감시하는 국가 기관.

8월 16일

23학년도 수능

공감 共感 (함께 공, 느낄 감)

1 다른 사람의 마음이나 생각에 대해 자신도 그렇다고 똑같이 느낌.
  - 예) 나는 친구의 마음에 **공감**이 되었다.

어휘력 확장하기

공 共 함께 공

공유 | 두 사람 이상이 어떤 것을 함께 가지고 있음.
공동 | 둘 이상의 사람이나 단체가 함께 일하거나 같은 자격으로 관계됨.
공동체 | 같은 이념 또는 목적을 가지고 있는 집단.
공통점 | 여럿 사이에 서로 같은 점.
공공장소 | 국가나 공공 단체가 여러 사람의 편의나 복지를 위하여 설치한 시설.

감 感 느낄 감

감사 | 고맙게 여김. 또는 그런 마음.
감각 | 눈, 코, 귀, 혀, 피부를 통하여 자극을 느낌.
감동 | 강하게 느껴 마음이 움직임.
감정 | 일이나 대상에 대하여 마음에 일어나는 느낌이나 기분.
감격 | 마음에 깊이 느끼어 매우 감동함. 또는 그 감동.
감명 | 잊을 수 없는 큰 감동을 느낌. 또는 그런 감동.
감촉 | 어떤 것이 피부에 닿아서 생기는 느낌.

초성으로 맞히는 어휘 퀴즈

5월 15일

다음은 어떤 어휘의 뜻일까요? 어휘를 직접 써 보세요.

1. 모임·행사·경기 등을 조직적으로 계획하여 열다. `ㄱㅊㅎㄷ`

2. 사람, 사물이나 현상에 대해 사람마다 가지는 의견이나 생각. `ㄱㅎ`

3. 뜻밖의 사고나 위험이 생기지 않도록 살피고 조심하다. `ㄱㄱㅎㄷ`

4. 한번 정한 내용이 변경되지 않다. `ㄱㅈㄷㄷ`
5. 한쪽으로 치우치지 않고 객관적이고 올바르다. `ㄱㅈㅎㄷ`

6. 둘 이상의 사람, 사물, 현상 등이 서로 관계를 맺고 있음. `ㄱㄹ`

7. 어떤 것을 향하여 끌리는 감정과 생각. `ㄱㅅ`
8. 눈으로 직접 볼 수 있게 형태를 갖춘 (것). `ㄱㅊㅈ`
9. 어떤 일을 하거나 다른 사람에게 요구할 수 있는 정당한 힘이나 자격. `ㄱㄹ`
10. 규칙으로 정함. 또는 그렇게 정해 놓은 것. `ㄱㅈ`
11. 어떤 일이 생기게 되는 바탕이나 원인. `ㄱㅇ`
12. 법이나 규칙이나 명령으로 어떤 행위를 하지 못하게 하다. `ㄱㅈㅎㄷ`

13. 무엇을 하기 위해 기초가 되는 것. `ㄱㅂ`
14. 어떤 일을 하기에 알맞은 시기나 경우. `ㄱㅎ`

초성으로 맞히는 어휘 퀴즈

8월 15일

다음은 어떤 어휘의 뜻일까요? 어휘를 직접 써 보세요.

1. 논리나 이치에 알맞은 (것). ㅎㄹㅈ _____
2. 늘 일정한 상태를 유지하려는 성질. ㅎㅅㅅ _____
3. 어떤 범위나 조건 등에 바로 들어맞다. ㅎㄷㅎㄷ _____
4. 문장으로 표현된 내용을 이해하고 설명하다. ㅎㅅㅎㄷ _____
5. 사람이 의지를 가지고 하는 짓. ㅎㅇ _____
6. 문제 삼지 않고 허락하여 받아들이다. ㅎㅇㅎㄷ _____
7. 어떤 모습이나 모양을 갖추다. ㅎㅅㅎㄷ _____
8. 뒤죽박죽이 되어 어지럽고 질서가 없음. ㅎㄹ _____
9. 세력이나 힘을 더 강해지다. ㄱㅎㄷㄷ _____
10. 부족한 점, 잘못된 점, 나쁜 점 등을 고쳐서 더 좋아지게 하다. ㄱㅅㅎㄷ _____
11. 개인의 생각이나 감정에 치우치지 않고 사실을 있는 그대로 보거나 생각하는 (것). ㄱㄱㅈ _____
12. 보고 들은 경험이나 이를 통해 얻은 지식. ㄱㅁ _____
13. 둘 이상의 사물이나 사람이 서로 관계를 맺어서 하나로 합쳐지다. ㄱㅎㅎㄷ _____
14. 자신이 실제로 해 보거나 겪어 봄. 또는 거기서 얻은 지식이나 기능. ㄱㅎ _____

여러분이 지난 14일 동안 매일 하나씩 공부했던 어휘들을 다시 보면서 정답을 확인해 보세요.
어휘의 뜻을 다시 확인하고 되새겨 본다면 여러분의 어휘력은 무한하게 확장될 거예요.
가족이나 친구들과도 함께 퀴즈를 풀면서 재미있게 어휘력을 키워 보세요.

5월 16일

24학년도 수능

능동적 能動的 (능할 능, 움직일 동, 과녁 적)

1 자기 스스로 판단하여 적극적으로 움직이는 (것).
   예 모두가 **능동적**으로 체육 대회에 참여했다.

🔍 어휘력 확장하기

능 能 능할 능

능력 | 어떤 일을 할 수 있는 힘.
재능 | 어떤 일을 잘할 수 있는 재주와 능력.
지능 | 사물이나 상황을 이해하고 대처하는 지적인 적응 능력.
기능 | 어떤 역할이나 작용을 함. 또는 그런 역할이나 작용.

동 動 움직일 동

동작 | 몸이나 손발 등을 움직임. 또는 그런 모양.
활동 | 몸을 움직여 행동함.
동영상 | 흔히 컴퓨터로 보는 움직이는 화면.

적 的 과녁 적

적중 | 화살이나 총알 등이 목표물에 맞음.
목적 | 이루려고 하는 일이나 나아가고자 하는 방향.

8월 14일

23학년도 수능

경험 經驗 (경서 경, 시험 험)

1 자신이 실제로 해 보거나 겪어 봄. 또는 거기서 얻은 지식이나 기능.
   - 예) 다양한 **경험**을 위해 해외여행을 떠났다.

> 미국의 싱어송라이터 스위프트는 자기 생각과 감정, **경험**을 노래에 솔직하게 담아내 전 세계 사람들의 마음을 사로잡았어요.
>
> 출처: 『똑똑한 초등신문 2』 p.218

🔍 어휘력 확장하기

경 經 경서 경

경력 | 이제까지 가진 학업, 직업, 업무와 관련된 경험.
경비 | 어떤 일을 하는 데 필요한 비용.
경영 | 기업이나 사업을 관리하고 운영함.
경제 | 사회나 국가에서 돈과 자원을 생산, 분배, 소비하는 모든 활동.

험 驗 시험 험

시험 | 일정한 절차에 따라 지식이나 능력을 검사하고 평가하는 일.
실험 | 어떤 일을 하기 전에 이론이나 생각에 따라 실제로 해 봄.
체험 | 몸으로 직접 겪음. 또는 그런 경험.
수험생 | 시험을 치르는 학생.

5월 17일

24학년도 수능

대체 代替 (대신할 대, 바꿀 체)

1 비슷한 다른 것으로 바꿈.
  예 일할 사람이 부족하여 급하게 **대체** 인력을 구했다.

> **대체**재란 서로 용도가 비슷하고 같은 효과를 얻을 수 있어 **대체**가 가능한 물건을 뜻해요.
>
> 출처: 『똑똑한 초등신문 2』 p.40

🔍 어휘력 확장하기

대 代 대신할 대

대가 | 물건의 값으로 내는 돈.
대표 | 전체의 상대나 특징을 어느 하나로 잘 나타냄. 또는 그린 것.
대역 | 어떤 배우의 배역을 다른 사람이 대신 맡아 하는 일.
대변인 | 어떤 사람이나 단체를 대신하여 의견과 입장을 말하는 사람.
대신하다 | 어떤 대상이 맡던 구실을 다른 대상이 새로 맡다.

체 替 바꿀 체

교체 | 사람이나 사물을 다른 사람이나 사물로 대신함.
이체 | 계좌에 있는 돈을 다른 계좌로 옮김.

8월 13일

23학년도 수능

결합하다 結合 (맺을 결, 합할 합)

1 둘 이상의 사물이나 사람이 서로 관계를 맺어서 하나로 합쳐지다.
   예 운동과 놀이를 **결합**한 다이어트 방법이 유행이다.

> 펀슈머란 'Fun(재미)'과 'Consumer(소비자)'를 **결합해** 만든 말로, 재미를 추구하기 위해 소비하는 사람들을 가리켜요.
>
> 출처: 『똑똑한 초등신문 2』 p.18

🔍 어휘력 확장하기

결 結 맺을 결

결혼 | 남자와 여자가 법적으로 부부가 됨.
종결 | 일을 다 끝냄.
결과 | 어떤 일이나 과정이 끝난 후의 상태나 현상.
결국 | 일이나 상황이 마무리되는 단계.

합 合 합할 합

합의 | 서로 의견이 일치함. 또는 그 의견.
혼합 | 여러 가지를 뒤섞어 한데 합함.
복합 | 두 가지 이상이 하나로 합침. 또는 두 가지 이상을 하나로 합침.
합격 | 시험, 검사, 심사 등을 통과함.

5월 18일

24학년도 수능

도달하다 到達 (다다를 도, 통할 달)

1 목적한 곳이나 일정한 수준에 다다르다.
   예 드디어 목적지에 **도달**했다.

특히 1㎛ 이하의 나노 플라스틱은 폐포까지 **도달해** 다양한 호흡기 질환을 일으켜요.

출처: 『똑똑한 초등신문 1』 p.216

🔍 어휘력 확장하기

도 到 다다를 도

도착 | 목적지에 다다름.
도래 | 어떤 시기니 기회가 옴.
주도면밀하다 | 세세하게 주의를 기울여 빈틈이 없다.
용의주도하다 | 신경을 써서 매우 꼼꼼하게 준비하여 빈틈이 없다.

달 達 통할 달

달성 | 목적한 것을 이룸.
달인 | 어떠한 분야에서 남달리 뛰어난 재능을 가진 사람.
배달 | 우편물이나 물건, 음식 등을 가져다 줌.

8월 12일

23학년도 수능

견문 見聞 (볼 견, 들을 문)

1 보고 들은 경험이나 이를 통해 얻은 지식.
예 여행을 다니면서 **견문**이 넓어졌다.

🔍 어휘력 확장하기

견 見 볼 견

견학 | 어떤 일과 관련된 곳을 직접 찾아가서 보고 배움.
견해 | 사람, 사물이나 현상에 대해 사람마다 가지는 의견이나 생각.
예견 | 앞으로 일어날 일을 미리 알거나 짐작함.
참견 | 자기와 관계가 없는 일에 끼어들어 나서거나 말함.
의견 | 어떤 대상이나 현상 등에 대해 나름대로 판단하여 가지는 생각.
편견 | 공평하고 올바르지 못하고 한쪽으로 치우친 생각.
꼴불견 | 하는 짓이나 모습이 몹시 눈에 거슬려 보기 싫은 것.
선입견 | 어떤 대상에 대하여 겪어 보지 않고 미리 짐작하여 가지는 생각.

문 聞 들을 문

신문 | 정기적으로 세상에서 일어나는 새로운 일들을 알려 주는 간행물.
소문 | 사람들 사이에 널리 퍼진 말이나 소식.
청문회 | 주로 국가 기관에서, 어떤 문제에 대하여 내용을 듣고 그에 대하여 물어보는 모임.

5월 19일

24학년도 수능

동의 同意 (같을 동, 뜻 의)

1 같은 의견을 가짐.
   - 예 친구들의 의견에 동의를 표했다.
2 다른 사람의 행위를 승인함.
   - 예 수학여행을 가려면 부모님의 동의를 받아야 한다.

어떤 일을 하도록 동의를 구하며 충고하다.

출처: 『똑똑한 초등신문 2』 p.213

🔍 어휘력 확장하기

동 同 같을 동

동일 | 비교해 본 결과 별다른 차이점이 없이 똑같음.
동거 | 같은 집이나 같은 방에서 함께 삶.
동갑 | 같은 나이. 또는 나이가 같은 사람.

의 意 뜻 의

의도 | 무엇을 하고자 하는 생각이나 계획.
의기소침하다 | 자신감이 줄어들고 기운이 없어진 상태이다.
의기양양하다 | 만족스럽고 자랑스러운 마음이 얼굴에 나타난 상태이다.

8월 11일

23학년도 수능

객관적 客觀的 (손님 객, 볼 관, 과녁 적)

1 개인의 생각이나 감정에 치우치지 않고 사실을 있는 그대로 보거나 생각하는 (것).
  예 **객관적**인 판단을 내려야 한다.

> 한쪽으로 치우치지 않고 **객관적**이고 올바르다.
> 출처: 『똑똑한 초등신문 1』 p.39

🔍 어휘력 확장하기

객 客 손님 객

객석 | 극장이나 경기장 등에서 입장객 혹은 관람객들이 앉는 자리.
객실 | 여관이나 호텔 등에서 손님이 묵는 방.
객체 | 사람이 감각하거나 인식하거나 행동하는 것의 대상이 되는 사물.
승객 | 자동차, 열차, 비행기, 배 등에 타는 손님.

관 觀 볼 관

관객 | 운동 경기, 영화, 연극, 음악회, 무용 공연 등을 구경하는 사람.
관람 | 전시품이나 공연, 영화, 운동 경기 등을 구경하는 것.
관찰 | 사물이나 현상을 주의 깊게 자세히 살펴봄.
관점 | 사물이나 현상을 보고 생각하는 개인의 입장 또는 태도.

5월 20일

24학년도 수능

만족스럽다 滿足 (찰만, 발족)

1 기대하거나 필요한 것이 부족함 없거나 마음에 들어 흐뭇하다.
   예) 이번 중간고사 결과가 **만족**스럽다.

> 작은 사치란 사치스러운 느낌을 주면서도 가격이 합리적이어서 **만족스럽게** 소비하는 것을 말해요.
>
> 출처: 『똑똑한 초등신문 2』 p.46

🔍 어휘력 확장하기

만 滿 찰만

만개 | 꽃이 활짝 핌.
만기 | 정해 놓은 기한이 다 됨. 또는 그 기한.
만장일치 | 모든 사람의 의견이 같음.

족 足 발족

족하다 | 수나 양, 정도 등이 넉넉하다.
부족 | 필요한 양이나 기준에 모자라거나 넉넉하지 않음.
충족 | 일정한 기준이나 분량을 채워 모자람이 없게 함.
족구 | 공을 발로 차서 네트를 넘겨 상대편의 땅에 닿으면 점수를 얻는 경기.

8월 10일

23학년도 수능

개선하다 改善 (고칠 개, 착할 선)

1 부족한 점, 잘못된 점, 나쁜 점 등을 고쳐서 더 좋아지게 하다.
예 환경을 **개선**하기 위해 나무를 심었다.

> 모두가 함께하기 위한 '배리어 프리' 전시를 위해 **개선해** 나가야 할 일들이 많아요.
>
> 출처: 『똑똑한 초등신문 2』 p.207

🔍 어휘력 확장하기

개 改 고칠 개

개혁 | 불합리한 제도나 기구 등을 새롭게 고침.
개조 | 고쳐 새롭게 만들거나 바꿈.
개명 | 이름을 바꿈.
개편하다 | 기구나 조직, 프로그램 등을 고치고 바꾸어서 다시 만들다.

선 善 착할 선

선행 | 착하고 올바른 행동.
최선 | 여럿 가운데서 가장 낫거나 좋음. 또는 그런 일.
다다익선 | 많으면 많을수록 좋음.
개과천선하다 | 잘못이나 못된 마음을 고쳐 올바르고 착하게 되다.

5월 21일

24학년도 수능

목표 目標 (눈 목, 표 표)

1 어떤 목적을 이루기 위하여 도달해야 할 구체적인 대상.

예) **목표**를 달성하기 위해 밤낮으로 일하다.

인도 정부는 2030년까지 전체 자동차 판매의 30%를 전기차로 채운다는 **목표**를 세웠는데요, 이번 리튬 발견은 이러한 인도 정부의 전기차 산업에 큰 도움을 줄 것으로 예상되어요.

출처: 『똑똑한 초등신문 1』 p.115

어휘력 확장하기

목 目 눈 목

목적 | 이루려고 하는 일이나 나아가고자 하는 방향.
목격 | 어떤 일이나 일이 벌어진 현장을 눈으로 직접 봄.
목례 | 눈짓으로 가볍게 하는 인사.
안목 | 어떤 것의 가치를 판단하거나 구별할 수 있는 능력.
주목 | 관심을 가지고 주의 깊게 살핌. 또는 그 시선.

표 標 표 표

표시 | 어떤 사항을 알리는 내용을 겉에 드러내 보임.
표준 | 사물의 성격이나 정도 등을 알기 위한 근거나 기준.

8월 9일

23학년도 수능

강화되다 強化 (강할 강, 될 화)

1 세력이나 힘이 더 강해지다.
  예) 운동을 꾸준히 하면 근력이 **강화**된다.

> 기후위기 문제가 심각해지면서 '그린워싱'에 대한 감시가 **강화되고** 있어요.
>
> 출처: 『똑똑한 초등신문 2』 p.180

🔍 어휘력 확장하기

강 強 강할 강

강요 | 어떤 일을 강제로 요구함.
강조 | 어떤 것을 특히 두드러지게 하거나 강하게 주장함.
강제 | 권력이나 힘으로 남이 원하지 않는 일을 억지로 시킴.
강도 | 폭행이나 협박 등으로 남의 재물을 빼앗는 도둑.

화 化 될 화

화장 | 화장품을 바르거나 문질러 얼굴을 예쁘게 꾸밈.
화학 | 물질의 구조, 성분, 변화 등에 관해 연구하는 자연 과학의 한 분야.
문화 | 사회의 공동체가 일정한 목적 또는 생활 이상을 실현하기 위한 물질적·정신적 활동.

5월 22일

24학년도 수능

묘사하다 描寫 (그릴 묘, 베낄 사)

1 어떤 대상을 있는 그대로 자세하게 말이나 글로 표현하거나 그림으로 그리다.
   예 그는 당시 상황을 생생하게 **묘사**했다.

『마틸다』의 경우, 마틸다가 남성 작가의 소설을 즐겨 읽는 것으로 그려졌는데, 이제 여성 작가 소설을 읽는 것으로 **묘사했어요**.

출처: 『똑똑한 초등신문 1』 p.86

어휘력 확장하기

묘 描 그릴 묘

소묘 | 연필이나 목탄 등을 사용해 사물의 형태와 밝고 어두운 정도를 위주로 그린 그림.

사 寫 베낄 사

사진 | 사물의 모습을 오래 보존할 수 있게 종이나 컴퓨터 등에 나타낸 영상.
복사 | 원래의 것을 다른 곳에 그대로 옮겨 놓음.
필사 | 글이나 글씨 등을 베껴 씀.

8월 8일

24학년도 수능

혼란 混亂 (섞을 혼, 어지러울 란)

1 뒤죽박죽이 되어 어지럽고 질서가 없음.
   예 사회가 **혼란**에 빠졌다.

> 재야생화란 생태계에 **혼란**을 주는 인공적인 구조물을 없애거나, 오염된 곳을 회복시켜 자연이 스스로 회복해 생태계를 되살리는 것을 말해요.
>
> 출처: 『똑똑한 초등신문 2』 p.243

🔍 어휘력 확장하기

혼 混 섞을 혼

혼합 | 여러 가지를 뒤섞어 한데 합함.
혼동 | 서로 다른 것을 구별하지 못하고 뒤섞어서 생각함.
혼잡 | 여러 가지가 한데 뒤섞여 어지럽고 복잡함.
혼혈 | 인종이 다른 혈통이 섞임. 또는 그 혈통.

란(난) 亂 어지러울 란(난)

난리 | 전쟁이나 나라 안에서 일어난 싸움.
난폭 | 행동이 거칠고 사나움.
난장판 | 여러 사람이 뒤섞여 시끄럽게 하거나 어질러 놓은 상태. 또는 그런 곳.
난중일기 | 임진왜란 때 충무공 이순신이 쓴 일기.

5월 23일

발견하다 發見 (필발, 볼견)

24학년도 수능

1. 아직 찾아내지 못했거나 세상에 알려지지 않은 것을 처음으로 찾아내다.
   - 예: 콜럼버스는 신대륙을 **발견**했다.

> 하지만 달의 다른 지역에서 더 오래된 결정을 **발견하게** 된다면 앞으로 달의 나이가 더 많아질 수도 있어요.
>
> 출처: 『똑똑한 초등신문 2』 p.139

🔍 어휘력 확장하기

발 發 필발

- **발생** | 어떤 일이 일어나거나 사물이 생겨남.
- **발달** | 신체, 정서, 지능 등이 성장하거나 성숙함.
- **발전** | 더 좋은 상태나 더 높은 단계로 나아감.
- **발명** | 새로운 기술이나 물건을 처음으로 생각하여 만들어 냄.

견 見 볼견

- **견학** | 어떤 일과 관련된 곳을 직접 찾아가서 보고 배움.
- **의견** | 어떤 대상이나 현상 등에 대해 나름대로 판단하여 가지는 생각.
- **편견** | 공평하고 올바르지 못하고 한쪽으로 치우친 생각.

8월 7일

24학년도 수능

형성하다 形成 (형상 형, 이룰 성)

1 어떤 모습이나 모양을 갖추다.
   예 사회생활을 하면서 가치관을 **형성**한다.

> 사회성이란 사회의 한 구성원으로서 살아가기 위해 사회에 적응하고 다른 이들과 관계를 **형성하고** 어울려 함께 살려고 하는 성질을 말해요.
>
> 출처: 『똑똑한 초등신문 2』 p.233

🔍 어휘력 확장하기

형 形 형상 형

형태 | 사물의 생긴 모양.
형식 | 겉으로 나타나 보이는 모양.
형상 | 사물의 생긴 모양이나 상태.
형편 | 일이 되어 가는 상황.
도형 | 그림의 모양이나 형태.
형용하다 | 말이나 글, 동작 등으로 사람이나 사물의 모양을 나타내다.

성 成 이룰 성

성공 | 원하거나 목적하는 것을 이룸.
성장 | 사람이나 동물 등이 자라서 점점 커짐.

5월 24일

24학년도 수능

발생하다 發生 (필발, 날생)

1 어떤 일이 일어나거나 사물이 생겨나다.
  예 생각지도 못한 일이 **발생**했다.

스마트폰에 집중하느라 주위를 살피지 못해서 크고 작은 사고가 **발생하기도** 해요.

출처: 『똑똑한 초등신문 1』 p.84

🔍 어휘력 확장하기

발 發 필 발

발견 | 세상에 알려지지 않은 것을 처음으로 찾아냄.
발달 | 신체, 정서, 지능 등이 성장하거나 성숙함.
발표 | 어떤 사실이나 결과, 작품 등을 세상에 드러내어 널리 알림.
만발 | 꽃이 활짝 핌.

생 生 날 생

생일 | 사람이 세상에 태어난 날.
생활 | 사람이나 동물이 일정한 곳에서 살아감.
생존 | 살아 있음. 또는 살아남음.

8월 6일

24학년도 수능

허용하다 許容 (허락할 허, 얼굴 용)

1 문제 삼지 않고 허락하여 받아들이다.
   예 선생님께서 조퇴를 **허락**해 주셨다.

> 이 화재는 상당수의 아마존 나무들이 베어져서인데요, 이는 브라질 전 대통령이 아마존 지역 개발을 목적으로 대규모 벌채를 **허용했기** 때문이죠.
>
> 출처: 『똑똑한 초등신문 1』 p.183

어휘력 확장하기

허 許 허락할 허

허가 | 행동이나 일을 할 수 있게 허락함.
허락 | 요청하는 일을 하도록 들어줌.
면허 | 특정 기술에 대해 국가에서 인정하는 자격.
특허 | 특정한 사람에게 일정한 권리나 능력을 주는 행정 행위.

용 容 얼굴 용

용모 | 사람의 얼굴 모양.
미용 | 얼굴이나 피부, 머리를 아름답게 꾸미고 다듬는 것.
수용 | 어떤 것을 받아들임.
용이하다 | 어렵지 않고 매우 쉽다.

5월 25일

방책 方策 (모방, 꾀책)

24학년도 수능

---

1 어떤 일을 해결할 방법과 꾀.
  예) 잘못한 일을 해결할 **방책**이 보이지 않는다.

규제책은 어떤 일을 법이나 규칙으로 제한할 대책이나 **방책**을 말한다.

출처: 『똑똑한 초등신문 2』 p.41

🔍 어휘력 확장하기

방 方 모방

방법 | 어떤 일을 해 나가기 위한 수단이나 방식.
방향 | 어떤 지점이나 방위를 향하는 쪽.
방식 | 일정한 방법이나 형식.
처방 | 병을 치료하기 위해 약을 짓는 방법.

책 策 꾀책

책략 | 어떤 일을 잘 꾸미거나 해결해 나가는 교묘한 방법.
대책 | 어려운 상황을 이겨낼 수 있는 계획.
정책 | 정치적인 목적을 이루기 위한 방법.
해결책 | 사건이나 문제, 일 등을 잘 처리해 끝을 내기 위한 방법.

8월 5일

24학년도 수능

행위 行爲 (다닐 행, 할 위)

1 사람이 의지를 가지고 하는 짓.
   예) 폭력 **행위**를 한 학생은 벌을 받는다.

어떤 일을 결정하기 전에, 그 **행위**나 소비가 나와 얼마나 잘 맞는지, 나에게 필요한 것인지를 따져보며 결정해야 해요.

출처: 『똑똑한 초등신문 2』 p.29

🔍 어휘력 확장하기

행 行 다닐 행

수행 | 일을 생각하거나 계획한 대로 해냄.
행정 | 규정이나 규칙에 의하여 공적인 일들을 처리함.
유행 | 무엇이 사람들에게 인기를 얻어 사회 전체에 널리 퍼짐.
실행 | 실제로 행함.

위 爲 할 위

위주 | 무엇을 가장 중요한 것으로 삼음.
인위적 | 자연적으로 만들어진 것이 아닌 사람의 힘으로 이루어진 것.

5월 26일

보도하다 報道 (갚을 보, 길 도)

24학년도 수능

1. 신문이나 방송 등의 대중 매체를 통해 여러 사람에게 새로운 소식을 알리다.
   - 예) 기자는 신문에 기사를 **보도**했다.

> CNN은 설탕이 들어간 음료 가격을 약 30%가량 올리면 소비자 매출이 3분의 1로 감소한다는 연구 결과를 **보도했어요**.
>
> 출처: 『똑똑한 초등신문 2』 p.212

어휘력 확장하기

보 報 갚을 보

- **보고** | 연구하거나 조사한 것의 내용이나 결과를 말이나 글로 알림.
- **보상** | 남에게 진 빚이나 받은 물건을 갚음.
- **결초보은** | 죽은 뒤에라도 은혜를 잊지 않고 갚음.

도 道 길 도

- **도덕** | 사회에서 좋고 나쁨을 판단하는 정신적 기준이나 가치 체계.
- **도리** | 사람이 마땅히 지켜야 할 바른 마음가짐이나 몸가짐.
- **도로** | 사람이나 차가 잘 다닐 수 있도록 만들어 놓은 길.
- **지하도** | 땅 밑을 파서 만들어 놓은 길.

8월 4일

24학년도 수능

해석하다 解釋 (풀 해, 풀 석)

1 문장으로 표현된 내용을 이해하고 설명하다.
   - 예 영어 문장을 **해석**하다.
2 사물이나 행위 등의 내용을 판단하고 이해하다.
   - 예 영화를 보고 감독의 의도를 **해석**해 보았다.

'금일'은 오늘을 뜻하는 말인데 금요일로 이해하기도 하고요, '무료하다'는 심심하다는 뜻인데 공짜라고 **해석하기도** 해요.

출처: 『똑똑한 초등신문 1』 p.72

이슬람교를 엄격하게 **해석해** 여성 차별을 심하게 하고 있어요.

출처: 『똑똑한 초등신문 1』 p.118

🔍 어휘력 확장하기

해 · 解 풀 해

해설 | 어려운 문제나 사건의 내용 등을 알기 쉽게 풀어 설명함.
해답 | 질문이나 문제를 풀이함. 또는 그런 것.
해명 | 이유나 내용 등을 풀어서 밝힘.

석 · 釋 풀 석

석방 | 법에 의해 일정한 장소에 가두었던 사람을 풀어 자유롭게 하는 일.

5월 27일

24학년도 수능

보완하다 補完 (기울 보, 완전할 완)

1 모자라거나 부족한 것을 보충하여 완전하게 하다.
   예 꾸준한 연습으로 나의 부족한 점을 **보완**했다.

이번 연구 결과는 토성 고리의 나이에 대한 새로운 점들을 알려 주었지만, 이에 대해서는 **보완해** 나가야 할 점이 많다고 해요.

출처: 『똑똑한 초등신문 1』 p.159

🔍 어휘력 확장하기

보 補 기울 보

- **보조** | 모자라는 것을 보태어 도움.
- **보충** | 부족한 것을 보태어 채움.
- **보상** | 발생한 손실이나 손해를 갚음.
- **보약** | 몸의 기운을 높여 주고 건강하도록 도와주는 약.

완 完 완전할 완

- **완전히** | 부족한 점이 없이 모든 것이 갖추어져 모자람이나 흠이 없이.
- **완벽** | 흠이나 부족함이 없이 완전함.
- **완성** | 완전하게 다 이룸.
- **완전** | 부족한 점이 없이 모든 것이 다 갖추어져 있음.

8월 3일

해당하다 該當 (갖출 해, 마땅할 당)

1 어떤 범위나 조건 등에 바로 들어맞다.
> 예 지원 조건에 **해당**하지 않아 시험을 보지 못했다.

24학년도 수능

그런데 최근 프랑스의 '베수비오 챌린지' 대회에서 글자를 알아낼 수 있는 AI 모델을 만들어 두루마리 전체의 약 5%에 **해당하는** 2,000개 이상의 단어를 읽어냈다고 해요.

출처: 『똑똑한 초등신문 2』 p.224

어휘력 확장하기

해 該 갖출 해

해박하다 | 여러 방면으로 학식이 넓고 아는 것이 많다.

당 當 마땅할 당

당연히 | 이치로 보아 마땅히 그렇다.
당장 | 어떤 일이 일어난 바로 그 자리. 또는 그 시간.
당일 | 바로 그날.
당첨 | 여럿 가운데 어느 하나를 골라잡는 추첨에서 뽑힘.
당국 | 어떤 일에 직접 관계가 있는 나라.
당락 | 선거, 시험 등에 붙는 것과 떨어지는 것.
당선 | 선거에서 뽑힘.

5월 28일

24학년도 수능

부응하다 副應 (버금 부, 응할 응)

1 기대나 요구 등에 따라 응하다.
  예) 선수들은 국민들의 기대에 **부응**하기 위해 열심히 연습했다.

> 이는 사회 환경이 이전보다 더 복잡해졌고 이에 따라 개들이 더 많은 규칙과 기대에 **부응해야** 했기 때문이에요.
> 출처: 『똑똑한 초등신문 2』 p.128

🔍 어휘력 확장하기

부 副 버금 부

부작용 | 어떤 일로 인해 일어난, 기대하지 않았던 바람직하지 못한 일.
부반장 | 반장을 도와 반의 일을 맡아보는 직위. 또는 그런 사람.
부교재 | 교과서의 내용을 보충하기 위하여 보조적으로 사용하는 교재.

응 應 응할 응

응답 | 부름이나 물음에 답함.
응원 | 운동 경기 등에서 선수들을 격려하는 일.
응급 | 급한 대로 먼저 처리함. 또는 급한 상황에 대처함.
응용 | 어떤 이론이나 지식을 다른 분야에 알맞게 맞추어 이용함.

8월 2일

24학년도 수능

항상성 恒常性 (항상 항, 항상 상, 성품 성)

1 늘 일정한 상태를 유지하려는 성질.
  예 사람의 몸은 체온을 유지하는 **항상성**을 가지고 있다.

> 호르몬은 우리 몸이 성장하고 발달하는 데 필요한 대사 작용과 **항상성** 유지에 중요한 역할을 해요.
> 출처: 『똑똑한 초등신문 2』 p.245

🔍 어휘력 확장하기

항 恒 항상 항

항상 | 어느 때에나 변함없이.
항성 | 보이는 위치를 바꾸지 않고 별자리를 구성하며, 스스로 빛을 내는 별.

상 常 항상 상

상식 | 사람들이 일반적으로 알아야 할 지식이나 판단력.
상시 | 일상적으로 늘.
비상 | 미리 생각하지 못했던 위급한 일.
일상 | 날마다 반복되는 평범한 생활.
상비약 | 항상 준비해 두는 약.
상주하다 | 한곳에 계속 머물러 있다.

5월 29일

24학년도 수능

비교하다 比較 (견줄 비, 견줄 교)

1 둘 이상의 것을 함께 놓고 어떤 점이 같고 다른지 살펴보다.
예) 남과 **비교**하지 않고 나만의 길을 만들기로 했다.

헝가리 외트뵈시 로란드 대학교 연구팀은 개와 늑대의 뇌 용적을 분석했어요. 연구팀은 총 159종의 개 865마리와 늑대 48마리의 뇌 용적을 **비교했어요**.

출처: 『똑똑한 초등신문 2』 p.128

어휘력 확장하기

비 比 견줄 비

비유 | 어떤 것을 설명하기 위해 그것과 비슷한 것에 빗대어 설명하는 일.
비율 | 기준이 되는 수나 양에 대한 어떤 값의 비.
비례 | 한쪽의 수나 양이 변함에 따라 다른 쪽의 수나 양도 일정하게 변함.
대비 | 두 가지의 차이를 알아보기 위해 서로 비교함. 또는 그런 비교.

교 較 견줄 교

일교차 | 하루 동안에 기온, 기압, 습도 등이 바뀌는 차이.

8월 1일

24학년도 수능

합리적 合理的 (합할 합, 다스릴 리, 과녁 적)

1 논리나 이치에 알맞은 (것).
  예) 중고품은 새 상품에 비해 **합리적**인 가격에 구매할 수 있다.

> 경제학에서는 '최소의 비용을 들여 최대한의 만족감을 얻는 소비'를 '**합리적**'이라고 말해요. 이에 따르면, 1930년대 미국의 립스틱, 혹은 요즘 한국의 향수는 적은 비용으로 만족감을 얻을 수 있으니 **합리적**인 소비라고 할 수 있죠.
>
> 출처: 『똑똑한 초등신문 2』 p.47

어휘력 확장하기

합 合 합할 합

합의 | 서로 의견이 일치함. 또는 그 의견.
혼합 | 여러 가지를 뒤섞어 한데 합함.
복합 | 두 가지 이상이 하나로 합침. 또는 두 가지 이상을 하나로 합침.

리(이) 理 다스릴 리(이)

이유 | 어떠한 결과가 생기게 된 까닭이나 근거.
이론 | 어떤 이치나 지식을 논리적으로 일반화한 명제의 체계.
심리 | 마음의 움직임이나 의식의 상태.
정리 | 흐트러지거나 어수선한 상태에 있는 것을 한곳에 모으거나 치움.

5월 30일

24학년도 수능

선택 選擇 (가릴 선, 가릴 택)

1 여럿 중에서 필요한 것을 골라 뽑음.
  예) 부모님은 나의 **선택**을 존중해 주셨다.

쏟아지는 정보 속에서 시간을 들여 고른 물건이 잘못된 **선택**은 아니었을까 걱정하는 사람들도 늘고 있고요.

출처:『똑똑한 초등신문 2』 p.38

🔍 어휘력 확장하기

선 選 가릴 선

선거 | 일정한 조직이나 집단에서 투표를 통해 대표자나 임원을 뽑음.
선발 | 여럿 가운데에서 골라 뽑음.
선출 | 여럿 가운데서 가려 뽑음.
선수 | 운동 경기에서 대표로 뽑힌 사람. 또는 스포츠가 직업인 사람.
선호 | 여럿 가운데서 어떤 것을 특별히 더 좋아함.

택 擇 가릴 택

택하다 | 여럿 가운데서 고르다.
택일 | 여럿 가운데에서 하나를 고름.
채택 | 여러 가지 중에서 골라서 다루거나 뽑아 씀.

8월

1. 합리적
2. 항상성
3. 해당하다
4. 해석하다
5. 행위
6. 허용하다
7. 형성하다
8. 혼란
9. 강화되다
10. 개선하다
11. 객관적
12. 견문
13. 결합하다
14. 경험
15. **어휘 퀴즈**
16. 공감
17. 공유하다
18. 과시하다
19. 관계
20. 관념
21. 관점
22. 구성되다
23. 국한하다
24. 기록하다
25. 기존
26. 매개
27. 반영하다
28. 배상하다
29. 배제하다
30. 배출하다
31. **어휘 퀴즈**

초성으로 맞히는 어휘 퀴즈

5월 31일

다음은 어떤 어휘의 뜻일까요? 어휘를 직접 써 보세요.

16 스스로 판단하여 적극적으로 움직이는 (것). `ㄴㄷㅈ` _____

17 비슷한 다른 것으로 바꿈. `ㄷㅊ` _____

18 목적한 곳이나 일정한 수준에 다다르다. `ㄷㄷㅎㄷ` _____

19 같은 의견을 가짐. `ㄷㅇ` _____

20 기대하거나 필요한 것이 부족함 없거나 마음에 들어 흐뭇하다. `ㅁㅈㅅㄹㄷ` _____

21 어떤 목적을 이루기 위하여 도달해야 할 구체적인 대상. `ㅁㅍ` _____

22 어떤 대상을 있는 그대로 자세하게 말이나 글로 표현하거나 그림으로 그리다. `ㅁㅅㅎㄷ` _____

23 아직 찾아내지 못했거나 세상에 알려지지 않은 것을 처음으로 찾아내다. `ㅂㄱㅎㄷ` _____

24 어떤 일이 일어나거나 사물이 생겨나다. `ㅂㅅㅎㄷ` _____

25 어떤 일을 해결할 방법과 꾀. `ㅂㅊ` _____

26 신문이나 방송 등의 대중 매체를 통해 여러 사람에게 새로운 소식을 알리다. `ㅂㄷㅎㄷ` _____

27 모자라거나 부족한 것을 보충하여 완전하게 하다. `ㅂㅇㅎㄷ` _____

28 기대나 요구 등에 따라 응하다. `ㅂㅇㅎㄷ` _____

29 둘 이상의 것을 함께 놓고 어떤 점이 같고 다른지 살펴보다. `ㅂㄱㅎㄷ` _____

30 여럿 중에서 필요한 것을 골라 뽑음. `ㅅㅌ` _____

초성으로 맞히는 어휘 퀴즈 — 7월 31일

다음은 어떤 어휘의 뜻일까요? 어휘를 직접 써 보세요.

16 한 가지 일에 모든 힘을 쏟아 붓다. `ㅈㅈㅎㄷ` _____

17 둘 이상을 차등을 두어 구별함. `ㅊㅂ` _____

18 어떤 일을 순서에 따라 정리해 마무리하다. `ㅊㄹㅎㄷ` _____

19 일정한 원리에 따라 낱낱의 부분이 잘 짜여져 통일된 전체. `ㅊㄱ` _____

20 생기거나 이루어진 모양이나 형식. `ㅊㅈ` _____

21 어떤 사람을 손님으로 부르다. `ㅊㅊㅎㄷ` _____

22 어떤 조건에 알맞은 사람이나 물건을 책임지고 소개하다. `ㅊㅊㅎㄷ` _____

23 남의 허물이나 잘못을 진심으로 타이르다. `ㅊㄱㅎㄷ` _____

24 남의 땅이나 권리, 재산 등을 범하여 해를 끼치다. `ㅊㅎㅎㄷ` _____

25 학문 등을 깊이 파고들어 연구하다. `ㅌㄱㅎㄷ` _____

26 여러 개의 기구나 조직 등을 하나로 합치다. `ㅌㅎㅎㄷ` _____

27 다른 것에 비해 특별히 달라 눈에 띄는 점. `ㅌㅈ` _____

28 논리나 기준에 따라 어떠한 것에 대한 생각을 정하다. `ㅍㄷㅎㄷ` _____

29 어떤 일의 결과나 사물의 관계가 반드시 그렇게 될 수밖에 없는 (것). `ㅍㅇㅈ` _____

30 어떤 것이 실제로 일어나거나 영향을 미칠 수 있는 범위나 경계. `ㅎㄱ` _____

6월

- 1 소수
- 2 소신
- 3 쇠퇴
- 4 수집하다
- 5 시비
- 6 실시하다
- 7 실질적
- 8 실천하다
- 9 언론
- 10 연속
- 11 영원하다
- 12 영향
- 13 예상하다
- 14 요구하다
- 15 어휘 퀴즈
- 16 욕망
- 17 우열
- 18 원칙
- 19 유지하다
- 20 의도하다
- 21 의미
- 22 이기적
- 23 이념
- 24 이해하다
- 25 인용하다
- 26 인위적
- 27 인지
- 28 일정하다
- 29 적합하다
- 30 어휘 퀴즈

7월 30일

24학년도 수능

한계 限界 (한계 한, 경계 계)

1 어떤 것이 실제로 일어나거나 영향을 미칠 수 있는 범위나 경계.
　예 운동으로 체력의 **한계**를 극복했다.

어휘력 확장하기

한 　限 한계 한

한도 | 그 이상을 넘지 않도록 정해진 정도나 범위.
한정 | 수량이나 범위 등을 제한하여 정함. 또는 그런 한도.
제한 | 일정한 정도나 범위를 정하거나, 그것을 넘지 못하게 막음.
무한 | 수나 양, 크기, 공간이나 시간의 끝이나 제한이 없음.
기한 | 미리 정해 놓은 시기.
한없이 | 끝이 없이.
최대한 | 일정한 조건에서 가능한 한 가장 많이.

계 　界 경계 계

세계 | 지구 위에 있는 모든 나라.
경계 | 서로 다른 두 지역이나 사물이 구분되는 지점.
업계 | 같은 산업이나 상업 부문에서 일하는 사람들의 활동 분야.
각계 | 사회의 여러 분야.
학계 | 학문 연구를 직업으로 하는 학자 또는 교수들의 활동 분야.

6월 1일

24학년도 수능

소수 少數 (적을 소, 셀 수)

1 적은 수.
  예) 우리 모둠은 **소수**의 인원으로 구성되었다.

> 부정부패가 심한 상태에서 **소수** 엘리트 집단을 제외한 나머지 사람들은 극심한 빈곤에 시달리며 살아요.
>
> 출처: 『똑똑한 초등신문 2』 p.98

🔍 어휘력 확장하기

소 少 적을 소

- **소년** | 아직 어른이 되지 않은 어린 남자아이.
- **소녀** | 아직 어른이 되지 않은 어린 여자아이.
- **과소** | 양이나 수가 지나치게 적음.
- **남녀노소** | 남자와 여자, 늙은이와 젊은이의 모든 사람.

수 數 셀 수

- **수** | 셀 수 있는 사물을 세어서 나타낸 값.
- **수량** | 수와 양.
- **수학** | 수를 헤아리거나 공간을 측정하는 등의 수와 양에 관한 학문.
- **수없이** | 셀 수 없을 만큼 많이.

7월 29일

24학년도 수능

필연적
必然的 (반드시 필, 그럴 연, 과녁 적)

---

1 어떤 일의 결과나 사물의 관계가 반드시 그렇게 될 수밖에 없는 (것).
  예) 성실한 민규가 지각했다면 **필연적**인 이유가 있었을 거야.

어휘력 확장하기

필 必 반드시 필

필요 | 꼭 있어야 함.
필수 | 꼭 있어야 하거나 해야 함.
필승 | 반드시 이김.
필독서 | 반드시 읽어야 할 책.
하필 | 다른 방법으로 하지 않고 어찌하여 꼭.

연 然 그럴 연

자연 | 사람의 손길이 미치지 않고 저절로 생겨난 산, 바다 등의 지리적 환경.
단연 | 무엇의 순위나 수준, 정도 등이 확실히 판단이 될 만큼 뚜렷하게.
우연 | 마땅한 이유 없이 어쩌다가 일어난 일.
돌연변이 | 유전자 이상으로 이전에는 없었던 특성이 나타나는 현상.
당연하다 | 이치로 보아 마땅히 그렇다.

6월 2일

소신 所信 (바 소, 믿을 신)

24학년도 수능

1 굳게 믿는 생각.
- 예) 그는 남을 도우며 살아야 한다는 **소신**이 뚜렷하다.

🔍 어휘력 확장하기

所 바 소

- **소**감 | 어떤 일에 대하여 느끼고 생각한 것.
- **소**문 | 사람들 사이에 널리 퍼진 말이나 소식.
- **소**원 | 어떤 일이 이루어지기를 바람. 또는 바라는 그 일.
- **소**유 | 자기의 것으로 가지고 있음. 또는 가지고 있는 물건.
- **소**중하다 | 매우 귀중하다.
- **소**용없다 | 아무런 이익이나 쓸모가 없다.

信 믿을 신

- **신**뢰 | 굳게 믿고 의지함.
- 확**신** | 굳게 믿음. 또는 그런 마음.
- 불**신** | 믿지 않음. 또는 믿지 못함.
- 배**신** | 상대방의 믿음과 의리를 저버림.
- 자**신**감 | 어떤 일을 스스로 충분히 해낼 수 있다고 믿는 마음.

7월 28일

24학년도 수능

판단하다 判斷 (판가름할 판, 끊을 단)

1 논리나 기준에 따라 어떠한 것에 대한 생각을 정하다.
  예 너의 소신에 따라 판단해라.

유엔은 난민뿐만 아니라 난민을 받아 준 나라에도 지원이 필요하다고 판단하고 난민 구호금을 모금했어요.

출처: 『똑똑한 초등신문 2』 p.206

🔍 어휘력 확장하기

판 判 판가름할 판

판사 | 대법원을 제외한 법원의 법관.
비판 | 무엇에 대해 자세히 따져 옳고 그름을 밝히거나 잘못된 점을 지적함.
심판 | 어떤 문제나 사람에 대하여 잘잘못을 따져 결정을 내림.

단 斷 끊을 단

단절 | 서로 간의 관계를 끊음.
차단 | 액체나 기체 등의 흐름을 막거나 통하지 못하게 함.
중단 | 어떤 일을 중간에 멈추거나 그만둠.
단호하다 | 결심이나 입장 등이 흔들림이 없이 엄격하고 분명하다.
단정하다 | 어떤 일에 대해 확실하다고 판단하고 결정하다.

6월 3일

24학년도 수능

쇠퇴 衰退 (쇠할 쇠, 물러날 퇴)

1 강하게 일어났던 현상이나 세력, 기운 등이 약해짐.
   예 나이가 들면 기억력의 **쇠퇴**를 막을 수 없다.

🔍 어휘력 확장하기

쇠 衰 쇠할 쇠

쇠약 | 힘이 없고 약함.
노쇠 | 늙어서 몸의 기운이 약함.
흥망성쇠 | 발전하거나 왕성해지는 것과 망하거나 약해지는 것.

퇴 退 물러날 퇴

퇴근 | 일터에서 일을 끝내고 집으로 돌아가거나 돌아옴.
퇴원 | 병원에 머물며 치료를 받던 환자가 병원에서 나옴.
퇴직 | 현재의 직업이나 직무에서 물러남.
퇴장 | 연극 무대 등에서 등장인물이 무대 밖으로 나감.
후퇴 | 뒤로 물러남.
중퇴하다 | 학생이 중간에 학교를 그만두다.
진퇴양난 | 이렇게도 저렇게도 하지 못하는 어려운 처지.

7월 27일

24학년도 수능

특징 特徵 (특별할 특, 부를 징)

1 다른 것에 비해 특별히 달라 눈에 띄는 점.
   예) 자기 성격의 **특징**을 구체적으로 말해 주세요.

> 한 시각 장애 관람객은 반가사유상을 만져보고선 발끝에 힘을 주고 있다는 작은 **특징**까지 포착해 냈어요.
>
> 출처: 『똑똑한 초등신문 2』 p.206

🔍 어휘력 확장하기

특 特 특별할 특

특별하다 | 보통과 차이가 나게 다르다.
특성 | 다른 것에 비해 특별히 달라 눈에 띄는 점.
특기 | 남이 가지지 못한 특별한 기술이나 재능.
특권 | 특별한 권리.
특혜 | 특별한 은혜나 혜택.
특산물 | 어떤 지역에서 특별히 생산되는 물건.

징 徵 부를 징

징조 | 어떤 일이 일어날 것 같은 분위기나 느낌.
상징하다 | 추상적인 사물이나 개념을 구체적인 사물로 나타내다.

6월 4일

24학년도 수능

수집하다 收集 (거둘 수, 모을 집)

1 흩어져 있던 것을 거두어 모으다.
  예 자료들을 **수집**해 깔끔하게 정리했다.

> 세계 각국에서 틱톡 앱 사용을 금지시킨 이유는 틱톡이 앱 이용자의 정보를 상당량 **수집하고** 있다는 우려의 목소리가 커지고 있기 때문이에요.
>
> 출처: 『똑똑한 초등신문 1』 p.126

🔍 어휘력 확장하기

수 收 거둘 수

수거 | 거두어 김.
수용 | 사람이나 물건 등을 일정한 장소나 시설에 모아 넣음.
흡수 | 안이나 속으로 빨아들임.
수습 | 어수선한 사태를 정리하여 바로잡음.

집 集 모을 집

집단 | 여럿이 모여서 이룬 무리나 단체.
집중 | 한곳을 중심으로 하여 모임. 또는 그렇게 모음.
밀집 | 빈틈없이 빽빽하게 모임.
집회 | 여럿이 어떤 목적을 위하여 일시적으로 모임. 또는 그런 모임.

7월 26일

24학년도 수능

통합하다 統合 (거느릴 통, 합할 합)

1 여러 개의 기구나 조직 등을 하나로 합치다.
예 두 개의 동아리를 **통합**했다.

> 가야는 낙동강 유역을 중심으로 번성했던 작은 나라들을 **통합해**
> 이루어진 연맹 국가였어요.
>
> 출처: 『똑똑한 초등신문 2』 p.202

🔍 어휘력 확장하기

통 統 거느릴 통

통일 | 나누어지거나 갈라진 것들을 합쳐서 하나가 되게 함.
통계 | 한데 몰아서 어림잡아 계산함.
통치 | 나라나 지역을 맡아 다스림.
통제 | 어떤 방침이나 목적에 따라 행위를 하지 못하게 막음.
전통 | 전해 내려오면서 고유하게 만들어진 사상, 관습, 행동 등의 양식.

합 合 합할 합

합의 | 서로 의견이 일치함. 또는 그 의견.
혼합 | 여러 가지를 뒤섞어 한데 합함.
복합 | 두 가지 이상이 하나로 합침.

6월 5일

24학년도 수능

시비 是非 (옳을 시, 아닐 비)

1 옳은 것과 잘못된 것.
   - 예 다양한 의견을 통해 **시비**를 가려야 한다.
2 서로 옳거나 잘못된 것을 따지는 말다툼.
   - 예 지나가는 사람과 부딪혀 **시비**가 붙었다.

🔍 어휘력 확장하기

시 是 옳을 시

시인하다 | 내용이나 사실이 맞거나 그러하다고 인정하다.
시정하다 | 잘못된 것을 바르게 고치다.
시시비비 | 잘한 것과 잘못한 것.

비 非 아닐 비

비난 | 다른 사람의 잘못이나 결점에 대해 나쁘게 말함.
비상 | 뜻밖의 긴급한 사태.
비상금 | 뜻밖에 급한 일이 생겼을 때 쓰려고 따로 준비해 둔 돈.

7월 25일

탐구하다 探究 (찾을 탐, 궁구할 구)

24학년도 수능

1 학문 등을 깊이 파고들어 연구하다.
- 예 그는 언어를 **탐구**하는 일을 한다.

🔍 어휘력 확장하기

탐 探 찾을 탐

- **탐험** | 위험을 참고 견디며 어떤 곳을 찾아가서 살펴보고 조사함.
- **탐색** | 알려지지 않은 사물이나 현상을 찾아내거나 밝히기 위해 살피어 찾음.
- **염탐** | 몰래 남의 사정을 살피고 조사함.
- **탐정 소설** | 범죄 사건을 소재로 사건을 추리하여 해결하는 내용의 소설.

구 究 궁구할 구

- **연구** | 어떤 사물 등에 관련된 사실을 밝히기 위해 조사하고 분석하는 일.
- **학구적** | 학문 연구에 온 정신을 기울여 열중하는.

6월 6일

24학년도 수능

실시하다 實施 (열매 실, 베풀 시)

1 어떤 일이나 법, 제도 등을 실제로 행하다.
  예) 새로운 법안을 **실시**하다.

심리 분야 전문가들을 대상으로 설문조사를 **실시한** 결과, 2024년 한국 사회가 가장 조심해야 할 사회심리 현상으로 '확증 편향'이 선정되었어요.

출처: 『똑똑한 초등신문 2』 p.72

🔍 어휘력 확장하기

실 實 열매 실

실감 | 실제로 겪고 있다는 느낌.
실현 | 꿈이나 계획 등을 실제로 이룸.
실제 | 있는 그대로의 상태나 사실.
현실 | 현재 실제로 있는 사실이나 상태.

시 施 베풀 시

시행 | 실제로 행함.
시상 | 잘한 일이나 뛰어난 성적을 칭찬하는 상장, 상품 등을 줌.

7월 24일

침해하다 侵害 (침노할 침, 해로울 해)

24학년도 수능

1 남의 땅이나 권리, 재산 등을 범하여 해를 끼치다.
  예) 그 사건은 학생의 권리를 **침해**한 것이다.

> 그러나 틱톡 사용을 금지하는 것은 표현의 자유를 **침해하는** 것이라며 이에 반대하는 사람들도 많아요.
>
> 출처: 『똑똑한 초등신문 1』 p.127

🔍 어휘력 확장하기

침 侵 침노할 침

침략 | 정당한 이유 없이 남의 나라에 쳐들어감.
침범 | 남의 땅이나 나라, 권리, 재산 등을 범하여 손해를 끼침.
침입 | 남의 땅이나 나라, 권리, 재산 등을 범하여 들어가거나 들어옴.

해 害 해로울 해

해롭다 | 이롭지 않고 해가 되는 점이 있다.
해충 | 이, 벼룩, 회충 등과 같이 사람에게 해를 끼치는 벌레.
공해 | 산업과 교통의 발달 등으로 생활 환경이 입게 되는 피해.
피해 | 생명이나 신체, 재산, 명예 등에 손해를 입음. 또는 그 손해.
해코지 | 남을 괴롭히거나 해치려고 하는 짓.

6월 7일

24학년도 수능

실질적   實質的 (열매 실, 바탕 질, 과녁 적)

1 실제의 내용과 같은 (것).
   예) 친구와의 대화는 **실질적**인 도움이 되었다.

어휘력 확장하기

실 實 열매 실

실천 | 이론이나 계획, 생각한 것을 실제 행동으로 옮김.
실력 | 어떤 일을 해낼 수 있는 능력.
실습 | 배운 기술이나 지식을 실제로 해 보면서 익힘.
실시 | 어떤 일이나 법, 제도 등을 실제로 행함.
현실 | 현재 실제로 있는 사실이나 상태.
진실 | 거짓이 아닌 사실.

질 質 바탕 질

질문 | 모르는 것이나 알고 싶은 것을 물음.
물질 | 인간의 정신과 반대되는 개념으로 객관적으로 존재하는 실체.
본질 | 어떤 사물이 그 사물 자체가 되게 하는 원래의 특성.

7월 23일

충고하다 忠告 (충성 충, 아뢸 고)

24학년도 수능

1 남의 허물이나 잘못을 진심으로 타이르다.
   예 나는 친구에게 약속을 지키라고 **충고**했다.

> 그런데 유네스코는 2022년 3월, 이곳을 '위험에 빠진 세계유산'으로 정해야 한다고 **충고했어요**.
>
> 출처: 『똑똑한 초등신문 1』 p.194

어휘력 확장하기

충 忠 충성 충

충실 | 충성스럽고 정직하며 성실함.
충성심 | 임금이나 나라에 대하여 진정으로 우러나오는 정성스러운 마음.
현충일 | 나라를 위하여 목숨을 바친 군인과 경찰 등을 기리기 위한 기념일.
충무공 이순신 | 조선 시대의 장군(1545~1598).

고 告 아뢸 고

고백 | 마음속의 생각이나 숨기고 있는 사실을 솔직하게 모두 다 말함.
고발 | 수사 기관에 범죄 사실 또는 범인을 신고하고 처벌을 요청함.
고자질 | 남의 잘못이나 비밀을 다른 사람에게 일러바치는 것.
권고 | 어떤 일을 하도록 동의를 구하며 충고함. 또는 그런 말.

6월 8일

24학년도 수능

실천하다 實踐 (열매 실, 밟을 천)

1 이론이나 계획, 생각한 것을 실제 행동으로 옮기다.
   예 방학 동안 세운 계획을 잘 **실천**하고 있다.

어휘력 확장하기

실 實 열매 실

실질적 | 실제의 내용과 같은 (것).
실감 | 실제로 겪고 있다는 느낌.
실현 | 꿈이나 계획 등을 실제로 이룸.
실력 | 어떤 일을 해낼 수 있는 능력.
실습 | 배운 기술이나 지식을 실제로 해 보면서 익힘.
실시 | 어떤 일이나 법, 제도 등을 실제로 행함.
실제 | 있는 그대로의 상태나 사실.
실물 | 사진이나 그림이 아닌 실제로 있는 물건이나 사람.
실상 | 실제의 상태나 내용.
실시간 | 실제 시간과 같은 시간.
현실 | 현재 실제로 있는 사실이나 상태.
진실 | 거짓이 아닌 사실.

7월 22일

24학년도 수능

추천하다 推薦 (옮길 추, 드릴 천)

1 어떤 조건에 알맞은 사람이나 물건을 책임지고 소개하다.
예 직원이 인기 메뉴를 **추천**했다.

이에 SNS에서 인기를 끄는 제품 또는 특정 인물이 소개하거나 **추천하는** 콘텐츠를 따라 구매함으로써 시간을 아끼고 실패를 줄이자는 뜻의 '디토 소비'가 퍼져나가고 있어요.

출처: 『똑똑한 초등신문 2』 p.38

🔍 어휘력 확장하기

추 推 옮길 추

추측 | 어떤 사실이나 보이는 것을 통해서 다른 무엇을 미루어 짐작함.
추리 | 알고 있는 것을 바탕으로 알지 못하는 것을 미루어 생각함.
추이 | 시간이 지나면서 일이나 상황이 변함. 또는 그 변하는 모습.
추앙하다 | 높이 받들어 존경하다.
추진하다 | 물체를 밀어 앞으로 나아가게 하다.

천 薦 드릴 천

공천 | 정당에서 선거에 출마할 후보자를 공식적으로 추천하여 내세움.

6월 9일

24학년도 수능

언론 言論 (말씀 언, 논의할 론)

1 신문이나 방송 등의 매체에서 어떤 사실이나 의견을 널리 알리는 것.
   예) 현대 사회에서 **언론**의 영향력은 크다.

> 시위대는 코로나 정책에 반대하는 것을 넘어, **언론** 자유와 사람들의 인권을 보장하라고 외치기 시작했어요.
>
> 출처: 『똑똑한 초등신문 1』 p.102

🔍 어휘력 확장하기

언 言 말씀 언

언어 | 생각, 느낌 등을 나타내거나 전달하는 음성이나 문자 등의 수단.
방언 | 어떤 지역이나 계층의 사람들만 쓰는 독특한 언어.
언급하다 | 어떤 일이나 문제에 대해 말하다.

론(논) 論 논의할 론(논)

논리 | 바르게 판단하고 이치에 맞게 생각하는 과정이나 원리.
논술 | 어떤 주제에 대한 의견을 논리에 맞게 말하거나 적음.
토론 | 어떤 문제에 대하여 여러 사람이 옳고 그름을 따지며 논의함.

7월 21일

초청하다 招請 (부를 초, 청할 청)

24학년도 수능

1 어떤 사람을 손님으로 부르다.
　예 학교 축제에 유명 가수를 **초청**했다.

🔍 어휘력 확장하기

초　招 부를 초

초대 | 다른 사람에게 어떤 자리, 모임, 행사 등에 와 달라고 요청함.
초빙 | 정식으로 예를 갖추어 불러들임.
초래 | 어떤 결과를 가져오게 함.
초인종 | 사람을 부르는 신호로 울리는 종.
자**초**하다 | 자기 스스로 어떤 결과가 생기게 하다.

청　請 청할 청

청혼 | 결혼하기를 부탁함.
요**청** | 필요한 일을 해 달라고 부탁함. 또는 그런 부탁.
신**청** | 단체나 기관 등에 어떤 일을 해 줄 것을 정식으로 요구함.

6월 10일

24학년도 수능

연속 連續 (잇닿을 연, 이을 속)

1 끊이지 않고 계속 이어짐.
   예) 같은 실수를 세 번 **연속**으로 하다니!

귀여운 동물 쇼츠를 한번 클릭했을 뿐인데 비슷한 것들이 **연속**으로 자동 재생돼, 넋을 놓고 본 경험이 있다면 이 기사를 주의 깊게 읽어보세요.

출처: 『똑똑한 초등신문 2』 p.66

어휘력 확장하기

연(련) 連 잇닿을 연(련)

연결 | 둘 이상의 사물이나 현상 등이 서로 이어지거나 관계를 맺음.
관련 | 둘 이상의 사람, 사물, 현상 등이 서로 관계를 맺고 있음.
연락 | 어떤 사실을 전하여 알림.
연재하다 | 신문이나 잡지 등에 글이나 만화 등을 계속 이어서 싣다.

속 續 이을 속

속출 | 잇따라 나옴.
계속 | 끊이지 않고 이어 나감.
상속 | 사람이 죽은 후에 그 사람의 재산을 넘겨주거나 넘겨받음.
지속 | 어떤 일이나 상태가 오래 계속됨.

7월 20일

24학년도 수능

체제 體制 (몸 체, 억제할 제)

1 생기거나 이루어진 모양이나 형식.
   예) 나는 학급 운영 **체제**를 유지하는 것에 찬성한다.

> 공화제란 국가 대표가 국민의 선거에 의해 선출되고 일정한 임기로 교체되는 정치 **체제**를 말해요.
> 출처: 『똑똑한 초등신문 2』 p.88

🔍 어휘력 확장하기

체 體 몸 체

체감 | 외부로부터 오는 자극을 몸으로 직접 느낌.
체격 | 근육과 뼈 등으로 나타나는 몸 전체의 겉모습.
체질 | 태어났을 때부터 지니고 있는 몸의 성질이나 건강상의 특징.
주체 | 어떤 단체나 물건의 중심이 되는 부분.

제 制 억제할 제

제도 | 관습, 도덕, 법률 등의 규범이나 사회 구조의 체계.
제한 | 일정한 정도나 범위를 정하거나, 그 정도나 범위를 넘지 못하게 막음.
규제 | 규칙이나 법에 의하여 개인이나 단체의 활동을 제한함.

6월 11일

24학년도 수능

영원하다 永遠 (길 영, 멀 원)

1 어떤 현상이나 모양 등이 언제까지나 변하지 않는 상태이다.
  예) 그들은 **영원**한 사랑을 약속했다.

> 영국의 다이아몬드 회사 드비어스는 '다이아몬드는 **영원하다**'라는 광고로 다이아몬드를 전 세계 가장 인기 있는 보석으로 만들었어요.
>
> 출처: 『똑똑한 초등신문 2』 p.32

🔍 어휘력 확장하기

영 永 길 영

영구불변 | 영원히 변하지 않음.
영주권 | 자격을 갖춘 외국인에게 주는, 그 나라에서 살 수 있는 권리.

원 遠 멀 원

원격 | 멀리 떨어져 있음.
원근법 | 그림이나 사진 등에서, 멀고 가까움을 표현하는 방법.
망원경 | 멀리 있는 물체를 크고 분명하게 볼 수 있도록 만든 기구.
소원하다 | 사이가 가깝지 않고 거리가 있어서 서먹서먹하다.

7월 19일

24학년도 수능

체계 體系 (몸 체, 이을 계)

1 일정한 원리에 따라 낱낱의 부분이 잘 짜여져 통일된 전체.
   예) 우리는 사회 **체계** 속에서 살고 있다.

> 젠더란 생물학적 성별에 따라 부과된 사회적 특성들 혹은 사람들에게 그런 특성을 부과하는 분류 **체계**를 일컫는 말이에요.
>
> 출처: 『똑똑한 초등신문 2』 p.140

🔍 어휘력 확장하기

체 體 몸 체

체험 | 몸으로 직접 겪음. 또는 그런 경험.
체력 | 몸의 힘이나 기운.
체온 | 몸의 온도.
체중 | 몸의 무게.
주체 | 어떤 단체나 물건의 중심이 되는 부분.
단체 | 같은 목적을 이루기 위해 모인 사람들의 조직.

계 系 이을 계

계열 | 서로 관련이 있거나 비슷한 성격을 가진 계통이나 조직.
생태계 | 여러 생물들이 서로 관계를 맺으며 어우러진 자연의 세계.

6월 12일

24학년도 수능

영향 影響 (그림자 영, 소리울릴 향)

1 어떤 것의 효과나 작용이 다른 것에 미치는 것.
  예) 아이는 부모님의 **영향**으로 등산을 좋아하게 되었다.

> 국제통화기금(IMF)은 AI가 우리 삶에 미칠 **영향**에 대한 보고서에서 AI는 개발도상국보다 선진국의 일자리에 더 큰 **영향**을 미칠 것으로 내다봤어요.
>
> 출처: 『똑똑한 초등신문 2』 p.76

🔍 어휘력 확장하기

영 影 그림자 영

- **영향력** | 어떤 것의 효과나 작용이 다른 것에 미치는 힘.
- **촬영** | 사람, 사물, 풍경 등을 사진이나 영화로 찍음.
- **환영** | 실제로는 눈앞에 없는 것이 있는 것처럼 보이는 것.

향 響 소리울릴 향

- **음향** | 물체에서 나는 소리와 그 울림.
- **반향** | 어떤 사건이나 현상이 세상에 영향을 미치어 생겨나는 반응.
- **교향곡** | 관현악을 위하여 만든 규모가 큰 곡.

7월 18일

24학년도 수능

처리하다 處理 (곳 처, 다스릴 리)

1 어떤 일을 순서에 따라 정리해 마무리하다.
   예) 밀린 과제를 **처리**하기 위해 도서관에 갔다.

한국에서만 버려진 음식물 쓰레기를 **처리하는** 데에 1년에 1조 960억원이 들었다고 해요. 음식물 쓰레기가 줄어들면 **처리** 비용을 아낄 수 있을 거예요.

출처: 『똑똑한 초등신문 1』 p.32

🔍 어휘력 확장하기

처 處 곳 처

처하다 | 어떤 형편이나 처지에 놓이다.
처지 | 처하여 있는 형편이나 사정.
출**처** | 말이나 사물이 생기거나 나온 곳.
상**처** | 몸을 다쳐서 상한 자리.

리(이) 理 다스릴 리(이)

이론 | 어떤 이치나 지식을 논리적으로 일반화한 명제의 체계.
심**리** | 마음의 움직임이나 의식의 상태.
정**리** | 어수선한 상태에 있는 것을 한곳에 모으거나 치움.
합**리**적 | 논리나 이치에 알맞은 것.

6월 13일

24학년도 수능

예상하다 豫想 (미리 예, 생각 상)

1 앞으로 있을 일이나 상황을 짐작하다.
예) 모두가 **예상**했던 결과가 나왔다.

이들에 대한 연구가 이루어지지 않았기 때문에 이 바이러스들이 우리에게 어떤 피해를 얼마나 줄지 아무도 **예상할** 수 없어요.

출처: 『똑똑한 초등신문 1』 p.154

어휘력 확장하기

예 豫 미리 예

예약 | 자리나 방, 물건 등을 사용하기 위해 미리 약속함.
예습 | 앞으로 배울 것을 미리 공부함.
예방 | 병이나 사고 등이 생기지 않도록 미리 막음.
예매 | 차표나 입장권 등을 정해진 때가 되기 전에 미리 사 둠.

상 想 생각 상

상상 | 실제로 없는 것이나 경험하지 않은 것을 머릿속으로 그려 봄.
공상 | 실제로 있지 않거나 이루어질 가능성이 없는 일을 생각하는 것.
환상 | 현실성이나 가능성이 없는 헛된 생각.
가상 | 사실이 아닌 것을 지어내어 사실처럼 생각함.

7월 17일

24학년도 수능

차별 差別 (어그러질 차, 다를 별)

1 둘 이상을 차등을 두어 구별함.
   예) 해외여행 중에 인종 **차별**을 당했다.

> 원작을 훼손하지 않는 것이 중요할까요? 아니면 '편견과 **차별** 없는 세상을 위한 다양성 추구'라는 메시지 전달이 우선되어야 할까요?
>
> 출처: 『똑똑한 초등신문 2』 p.211

🔍 어휘력 확장하기

차 差 어그러질 차

차이 | 서로 같지 않고 다름. 또는 서로 다른 정도.
차등 | 고르거나 가지런하지 않고 차별이 있음.

별 別 다를 별

별개 | 서로 달라 관련되는 것이 없음.
개별 | 하나씩 따로 떨어져 있는 상태.
별명 | 이름과는 다르게 대상의 특징을 나타내도록 지어 부르는 이름.
별도 | 원래의 것에 덧붙여 추가되거나 따로 마련된 것.
구별 | 성질이나 종류에 따라 차이가 남. 또는 성질이나 종류에 따라 갈라놓음.

6월 14일

24학년도 수능

요구하다 要求 (중요할 요, 구할 구)

1 필요하거나 받아야 할 것을 달라고 청하다.
  예) 직원들은 휴식 공간을 **요구**했다.

> 이에 작가와 배우들은 정당한 보상을 **요구하는** 동시에 무분별한 AI 활용에 반대하며 파업을 시작했어요.
>
> 출처: 『똑똑한 초등신문 2』 p.104

🔍 어휘력 확장하기

요 要 중요할 요

요소 | 무엇을 이루는 데 반드시 있어야 할 중요한 성분이나 조건.
요약 | 말이나 글에서 중요한 것을 골라 짧게 만듦.
요청 | 필요한 일을 해 달라고 부탁함. 또는 그런 부탁.
필요 | 꼭 있어야 함.

구 求 구할 구

구걸 | 남에게 돈이나 먹을 것 등을 대가 없이 달라고 함.
구직 | 일자리를 구함.
구인 | 일할 사람을 구함.

7월 16일

24학년도 수능

집중하다 集中 (모을 집, 가운데 중)

1 한 가지 일에 모든 힘을 쏟아 붓다.
  예 집중하면 일을 빨리 끝낼 수 있다.

스마트폰에 **집중하느라** 주위를 살피지 못해서 크고 작은 사고가 발생하기도 해요.

출처: 『똑똑한 초등신문 1』 p.84

🔍 어휘력 확장하기

집 集 모을 집

집단 | 여럿이 모여서 이룬 무리나 단체.
집회 | 여럿이 특정한 목적을 위해 일시적으로 모이는 일. 또는 그런 모임.
밀집 | 빈틈없이 빽빽하게 모임.

중 中 가운데 중

중계 | 서로 다른 대상을 중간에서 이어 줌.
중앙 | 어떤 장소나 물체의 중심이 되는 한가운데.
중지 | 하던 일을 중간에 멈추거나 그만둠.
중단 | 어떤 일을 중간에 멈추거나 그만둠.
중순 | 한 달 가운데 11일부터 20일까지의 기간.

6월 15일

초성으로 맞히는 어휘 퀴즈

다음은 어떤 어휘의 뜻일까요? 어휘를 직접 써 보세요.

1 적은 수. ㅅㅅ _____
2 굳게 믿는 생각. ㅅㅅ _____
3 강하게 일어났던 현상이나 세력, 기운 등이 약해짐. ㅅㅌ

    _____
4 흩어져 있던 것을 거두어 모으다. ㅅㅈㅎㄷ _____
5 옳은 것과 잘못된 것. ㅅㅂ _____
6 어떤 일이나 법, 제도 등을 실제로 행하다. ㅅㅅㅎㄷ _____
7 실제의 내용과 같은 (것). ㅅㅈㅈ _____
8 이론이나 계획, 생각한 것을 실제 행동으로 옮기다. ㅅㅊㅎㄷ

    _____
9 신문이나 방송 등의 매체에서 어떤 사실이나 의견을 널리 알리는 것. ㅇㄹ

    _____
10 끊이지 않고 계속 이어짐. ㅇㅅ _____
11 어떤 현상이나 모양 등이 언제까지나 변하지 않는 상태이다. ㅇㅇㅎㄷ

    _____
12 어떤 것의 효과나 작용이 다른 것에 미치는 것. ㅇㅎ _____
13 앞으로 있을 일이나 상황을 짐작하다. ㅇㅅㅎㄷ _____
14 필요하거나 받아야 할 것을 달라고 청하다. ㅇㄱㅎㄷ _____

여러분이 지난 14일 동안 매일 하나씩 공부했던 어휘들을 다시 보면서 정답을 확인해 보세요.
어휘의 뜻을 다시 확인하고 되새겨 본다면 여러분의 어휘력은 무한하게 확장될 거예요.
가족이나 친구들과도 함께 퀴즈를 풀면서 재미있게 어휘력을 키워 보세요.

초성으로 맞히는 어휘 퀴즈

7월 15일

다음은 어떤 어휘의 뜻일까요? 어휘를 직접 써 보세요.

1. 정치적인 목적을 이루기 위한 방법. `ㅈㅊ` _____
2. 무엇을 내주거나 가져다주다. `ㅈㄱㅎㄷ` _____
3. 어떤 대상이나 셈에서 빼다. `ㅈㅇㅎㄷ` _____
4. 법이나 제도 등이 만들어져서 정해지다. `ㅈㅈㄷㄷ` _____
5. 일정한 한도를 정하거나 그 한도를 넘지 못하게 막다. `ㅈㅎㅎㄷ` _____
6. 벌어진 사태에 대하여 적절한 대책을 세워서 행함. 또는 그 대책. `ㅈㅊ` _____
7. 실제로 있음. 또는 그런 대상. `ㅈㅈ` _____
8. 의견이나 사람을 높이어 귀중하게 여기다. `ㅈㅈㅎㄷ` _____
9. 자신의 의견이나 신념을 굳게 내세우다. `ㅈㅈㅎㄷ` _____
10. 서로 다른 대상을 중간에서 이어 줌. `ㅈㄱ` _____
11. 어떤 일을 중간에 멈추거나 그만둠. `ㅈㄷ` _____
12. 수나 양이 더 늘어나거나 많아지다. `ㅈㄱㅎㄷ` _____
13. 어떤 것을 꼭 집어서 분명하게 가리키다. `ㅈㅈㅎㄷ` _____
14. 앞으로 나아가다. `ㅈㅎㅎㄷ` _____

여러분이 지난 14일 동안 매일 하나씩 공부했던 어휘들을 다시 보면서 정답을 확인해 보세요.
어휘의 뜻을 다시 확인하고 되새겨 본다면 여러분의 어휘력은 무한하게 확장될 거예요.
가족이나 친구들과도 함께 퀴즈를 풀면서 재미있게 어휘력을 키워 보세요.

6월 16일

24학년도 수능

욕망 欲望 (하고자 할 욕, 바랄 망)

1 무엇을 가지려 하거나 원함. 또는 그런 마음.
  예 놀고 싶은 **욕망**을 참고 공부했다.

> 자기의 감정이나 **욕망**을 스스로 눌러서 멈추게 하다.
> 출처: 『똑똑한 초등신문 2』 p.161

🔍 어휘력 확장하기

욕 欲 하고자 할 욕

욕심 | 무엇을 지나치게 탐내거나 가지고 싶어 하는 마음.
욕구 | 무엇을 얻거나 무슨 일을 하기를 바라는 것.
의욕 | 무엇을 하고자 하는 적극적인 마음이나 의지.

망 望 바랄 망

희망 | 앞일에 대하여 기대를 가지고 바람.
소망 | 어떤 일을 바람. 또는 바라는 그 일.
실망 | 기대하던 대로 되지 않아 희망을 잃거나 마음이 몹시 상함.
절망 | 바라볼 것이 없게 되어 모든 희망을 버림. 또는 그런 상태.
지망 | 어떤 전공이나 직업 등을 갖기를 바람. 또는 그렇게 바라는 전공이나 직업.

7월 14일

24학년도 수능

진행하다   進行 (나아갈 진, 다닐 행)

1. 앞으로 나아가다.
   - 예) 열차가 **진행**하는 방향과 반대로 걸어갔다.
2. 일 등을 계속해서 해 나가다.
   - 예) 선생님은 수업을 **진행**하셨다.

이에 도로 교통공단은 보행자와 운전자의 비언어적 소통이 원활하게 되도록 횡단보도 손짓 캠페인을 **진행했어요**.

출처: 『똑똑한 초등신문 2』 p.62

🔍 어휘력 확장하기

진   進 나아갈 진

- **추진** | 물체를 밀어 앞으로 나아가게 함.
- **증진** | 기운이나 세력 등이 점점 더 늘어 가고 나아감.
- **촉진** | 다그쳐서 빨리 진행하게 함.

행   行 다닐 행

- **수행** | 일을 생각하거나 계획한 대로 해냄.
- **행위** | 사람이 의지를 가지고 하는 짓.
- **행정** | 규정이나 규칙에 의하여 공적인 일들을 처리함.

6월 17일

24학년도 수능

우열 優劣 (넉넉할 우, 못할 열)

1 나음과 못함.
　예) 이번 대회는 **우열**을 가릴 수 없다.

어휘력 확장하기

우 優 넉넉할 우

우승 | 경기나 시합에서 상대를 모두 이겨 일 위를 차지함.
우수 | 여럿 중에서 뛰어남.
우대 | 특별히 잘 대우함. 또는 그런 대우.
우월 | 다른 것보다 뛰어남.
우선순위 | 어떤 것을 먼저 차지하거나 사용할 수 있는 차례나 위치.

열 劣 못할 열

열등감 | 자신이 다른 사람보다 능력이 없다고 낮추어 평가하는 감정.
열등의식 | 자신이 다른 사람보다 능력이 없다고 생각하는 의식.
열악하다 | 품질이나 능력 등이 몹시 낮고 조건이 나쁘다.
비열하다 | 사람의 하는 짓이나 성품이 너그럽지 못하며 생각이 좁다.

7월 13일

24학년도 수능

지적하다 指摘 (가리킬 지, 딸 적)

1 잘못된 점이나 고쳐야 할 점을 가리켜 말하다.
  예) 선생님은 학생의 무례한 태도를 **지적**하셨다.

> 또 그들은 서구가 아닌 곳에서는 문화와 문명 발달이 발전하지 않았을 거라고 보는 서구 중심 사고방식에 대해서도 되돌아봐야 한다고 **지적했어요**.
>
> 출처: 『똑똑한 초등신문 2』 p.217

🔍 어휘력 확장하기

지 指 가리킬 지

지시 | 어떤 것을 가리켜서 보게 함.
지정 | 가리켜 분명하게 정함.

적 摘 딸 적

적발 | 감추어져 있던 일이나 물건을 찾아 들추어냄.

6월 18일

24학년도 수능

원칙 原則 (근원 원, 법 칙)

1 어떤 행동이나 이론 등에서 일관되게 지켜야 하는 기본적인 규칙이나 법칙.
  예 다수결의 **원칙**에 따르다.

앞으로는 키오스크 및 메뉴판에서 한글로 표기하는 것을 **원칙**으로 하되, 일상적으로 사용하는 편한 표현을 쓰고 그림과 사진도 활용하겠다고 밝혔어요.

출처: 『똑똑한 초등신문 2』 p.55

🔍 어휘력 확장하기

원 原 근원 원

원인 | 어떤 사물이나 상태를 바꾸거나 일으킨 근본이 된 일이나 사건.
원리 | 사물의 본질이나 바탕이 되는 이치.
원가 | 물건을 처음 사들였을 때의 가격.
원산지 | 어떤 물건이 생산된 곳.

칙 則 법 칙

규칙 | 여러 사람이 지키도록 정해 놓은 법칙.
법칙 | 반드시 지켜야 하는 규범.
반칙 | 규정이나 규칙 등을 어김.
벌칙 | 법이나 약속 등을 어겼을 때 주는 벌을 정해 놓은 규칙.

7월 12일

24학년도 수능

증가하다 增加 (더할 증, 더할 가)

1 수나 양이 더 늘어나거나 많아지다.
  예) 새로운 관광 사업으로 마을을 찾는 사람들이 **증가**했다.

> 실제로 브라질 세라도 지역에서는 인공 산림의 면적이 40% 정도 **증가하자**, 그곳에 살던 식물과 개미 종의 다양성이 30%나 감소했어요.
>
> 출처: 『똑똑한 초등신문 2』 p.176

🔍 어휘력 확장하기

증 增 더할 증

- **증진** | 기운이나 세력 등이 점점 더 늘어 가고 나아감.
- **증대** | 양이 많아지거나 크기가 커짐. 또는 양을 늘리거나 크기를 크게 함.
- **증식** | 늘어서 많아짐. 또는 늘려서 많게 함.
- **급증** | 짧은 기간 안에 갑자기 늘어남.

가 加 더할 가

- **가습기** | 수증기를 내어 방 안의 습도를 조절하는 기구.
- **가입** | 단체에 들어가거나 상품 및 서비스를 받기 위해 계약을 함.
- **가열** | 어떤 물질에 뜨거운 열을 가함.
- **추가** | 나중에 더 보탬.

6월 19일

24학년도 수능

유지하다 維持 (바 유, 가질 지)

1 어떤 상태나 상황 등을 그대로 이어 나가다.
  예) 지금의 좋은 성적을 **유지**하길 바란다.

하지만 소비자들은 가격이 오른 물건을 사려고 하지 않으니, 물건을 만드는 생산자들은 물건값을 전과 비슷하게 **유지할** 수밖에 없죠.

출처: 『똑똑한 초등신문 1』 p.36

어휘력 확장하기

유 維 바 유

섬유 | 주로 천이나 의류 등의 재료가 되는 가늘고 긴 실 모양의 물질.

지 持 가질 지

지속 | 어떤 일이나 상태가 오래 계속됨.
소지품 | 가지고 있는 물건.
지지율 | 선거 등에서 투표하는 사람들이 어떤 후보를 지지하는 비율.
지구력 | 오랫동안 버티며 견디는 힘.
소지하다 | 어떤 물건이나 자격을 가지고 있다.

7월 11일

중단 中斷 (가운데 중, 끊을 단)

1 어떤 일을 중간에 멈추거나 그만둠.
  예) 엘리베이터 운행 **중단**으로 계단을 이용했다.

> 투표자 약 60%가 아마존 내 석유 개발 사업 **중단**에 찬성표를 던졌어요.
>
> 출처: 『똑똑한 초등신문 2』 p.168

🔍 어휘력 확장하기

중 中 가운데 중

중계 | 서로 다른 대상을 중간에서 이어 줌.
중단 | 어떤 일을 중간에 멈추거나 그만둠.
중지 | 하던 일을 중간에 멈추거나 그만둠.

단 斷 끊을 단

단발머리 | 귀밑에서 어깨선 정도까지 오는 짧은 머리.
단정하다 | 어떤 일에 대해 확실하다고 판단하고 결정하다.
단호하다 | 결심이나 입장 등이 흔들림이 없이 엄격하고 분명하다.
차단 | 액체나 기체 등의 흐름을 막거나 통하지 못하게 함.
판단 | 논리나 기준에 따라 어떠한 것에 대한 생각을 정함.

6월 20일

24학년도 수능

의도하다 意圖 (뜻 의, 그림 도)

1 무엇을 하고자 생각하거나 계획하다.
   예 **의도**한 계획이 실패로 돌아갔다.

어휘력 확장하기

의 意 뜻 의

의견 | 어떤 대상이나 현상 등에 대해 나름대로 판단하여 가지는 생각.
의지 | 어떤 일을 이루고자 하는 마음.
의미 | 말이나 글, 기호 등이 나타내는 뜻.
주의 | 마음에 새겨 두고 조심함.
의기소침하다 | 자신감이 줄어들고 기운이 없어진 상태이다.
의기양양하다 | 만족스럽고 자랑스러운 마음이 얼굴에 나타난 상태이다.

도 圖 그림 도

도서관 | 책과 자료 등을 많이 모아 두고 사람들이 볼 수 있도록 한 시설.
도표 | 어떤 사실이나 주어진 자료 등을 분석하여 그 관계를 알기 쉽게 나타낸 표.
지도 | 지구 표면의 전부나 일부를 일정한 비율로 줄여 약속된 기호로 평면에 그린 그림.

7월 10일

24학년도 수능

중계   中繼 (가운데 중, 이을 계)

1 서로 다른 대상을 중간에서 이어 줌.
   예 반대표는 학생들과 선생님 사이의 **중계**를 담당한다.
2 방송국 밖의 실제 상황을 방송국에 연결해 방송함. 또는 그 방송.
   예 오늘 저녁에는 월드컵 결승전 **중계**를 볼 예정이다.

어휘력 확장하기

중 中 가운데 중

중심 | 어떤 것의 한가운데.
중세 | 역사의 시대 구분에서 고대와 근세 사이의 중간 시대.
중앙 | 어떤 장소나 물체의 중심이 되는 한가운데.
중학교 | 초등학교를 졸업하고 중등 교육을 받기 위해 다니는 학교.

계 繼 이을 계

계속 | 끊이지 않고 이어 나감.
계승 | 조상의 전통이나 문화, 업적 등을 물려받아 계속 이어 나감.
계주 | 일정한 거리를 나누어 몇 사람이 차례대로 이어 달리는 경기.
인계 | 일이나 물건, 사람 등을 넘겨주거나 넘겨받음.

6월 21일

24학년도 수능

의미 意味 (뜻 의, 맛 미)

1. 말이나 글, 기호 등이 나타내는 뜻.
   - 예) 단어의 **의미**를 모를 땐 사전을 찾아보자.
2. 어떠한 일, 행동, 현상 등에 숨어 있는 속뜻.
   - 예) 그의 행동에 담긴 **의미**를 파악하지 못했다.
3. 어떠한 일, 행동, 현상 등이 지닌 가치나 중요성.
   - 예) **의미** 없는 일에 시간을 낭비하지 마라.

이 편지로 15세기의 언어생활을 엿볼 수 있어서 연구 자료로도 큰 **의미**를 가져요.

출처: 『똑똑한 초등신문 1』 p.70

'젊고', '평등하며' '아름다운 낭만'까지 더한 파리 올림픽! 그 어느 때보다도 더 **의미** 있는 올림픽이 될 것으로 보입니다.

출처: 『똑똑한 초등신문 2』 p.199

🔍 어휘력 확장하기

미 味 맛 미

미각 | 혀가 맛을 느끼는 감각.
취미 | 좋아하여 재미로 즐겨서 하는 일.
흥미 | 마음을 쏠리게 하는 재미.

7월 9일

24학년도 수능

주장하다 主張 (주인 주, 베풀 장)

1 자신의 의견이나 신념을 굳게 내세우다.
  예 그는 자신의 의견을 주장하기 위해 여러 증거들을 내놓았다.

이와 더불어 여러 환경 단체에서도 전 세계적으로 아마존을 지키는 데 함께하자고 주장하고 있으며 아마존 환경보호를 더 이상 미루어서는 안 된다고 말하고 있어요.

출처: 『똑똑한 초등신문 1』 p.183

🔍 어휘력 확장하기

주 主 주인 주

주인 | 대상이나 물건을 자기의 것으로 가진 사람.
주제 | 대화나 연구 등에서 중심이 되는 문제.
주요 | 중심이 되고 중요함.
주관적 | 자신의 생각이나 관점을 기준으로 하는 것.

장 張 베풀 장

긴장 | 마음을 놓지 않고 정신을 바짝 차림.
출장 | 임시로 다른 곳에 일하러 감.
과장 | 사실에 비해 지나치게 크거나 좋게 부풀려 나타냄.
확장 | 시설, 사업, 세력 등을 늘려서 넓힘.

6월 22일

24학년도 수능

이기적 利己的 (이로울 이, 몸 기, 과녁 적)

1 자신의 이익만을 생각하는 (것).
예) **이기적**인 행동은 다른 사람에게 피해를 준다.

> 유럽은 바이든 정부가 미국 산업을 키우기 위해서 중국처럼 **이기적**인 방법을 쓰고 있다고 비판했어요.
>
> 출처: 『똑똑한 초등신문 2』 p.22

🔍 어휘력 확장하기

이(리) 利 이로울 이(리)

이용 | 대상을 필요에 따라 이롭거나 쓸모가 있게 씀.
권리 | 어떤 일을 하거나 다른 사람에게 요구할 수 있는 정당한 자격.
편리 | 이용하기 쉽고 편함.
이롭다 | 도움이나 이익이 되다.

기 己 몸 기

자기 | 그 사람 자신.
이기심 | 자신의 이익만을 생각하는 마음.
자기중심 | 남보다 자신을 먼저 생각하고 더 중요하게 여김.

7월 8일

24학년도 수능

존중하다 尊重 (높을 존, 무거울 중)

1 의견이나 사람을 높이어 귀중하게 여기다.
　예 부모님은 나의 의견을 **존중**해 주신다.

젊은 세대를 위한 종목을 추가했다는 것, 춤을 경기 종목에 포함해 스포츠 개념을 확대한 것, 그리고 길거리 문화를 **존중하고** 인정한 점 때문이죠.

출처: 『똑똑한 초등신문 2』 p.198

🔍 어휘력 확장하기

존　尊 높을 존

존경 | 어떤 사람의 훌륭한 인격이나 행위를 높이고 받듦.
존댓말 | 사람이나 사물을 높여 이르는 말.
자존심 | 남에게 굽히지 않으려고 하거나 스스로를 높이려는 마음.

중　重 무거울 중

중요 | 귀중하고 꼭 필요함.
중력 | 지구가 지구 위의 물체를 끌어당기는 힘.
중병 | 목숨이 위험할 정도로 몹시 아픈 병.
중시 | 매우 크고 중요하게 여김.
체중 | 몸의 무게.

6월 23일

이념 理念 (다스릴 이, 생각할 념)

24학년도 수능

1 한 국가나 사회, 개인이 가지고 있는 생각의 근본이 되는 사상.
   예 그와 나는 **이념**이 서로 다르다.

🔍 어휘력 확장하기

이(리) 理 다스릴 이(리)

이유 | 어떠한 결과가 생기게 된 까닭이나 근거.
이해 | 무엇이 어떤 것인지를 앎. 또는 무엇이 어떤 것이라고 받아들임.
이론 | 어떤 이치나 지식을 논리적으로 일반화한 명제의 체계.
이성 | 올바른 가치와 지식으로 논리에 맞게 생각하고 판단하는 능력.
논리 | 바르게 판단하고 이치에 맞게 생각하는 과정이나 원리.
수리 | 고장 난 것을 손보아 고침.
심리 | 마음의 움직임이나 의식의 상태.
요리법 | 음식을 만드는 방법.

념(염) 念 생각할 념(염)

염원 | 간절히 생각하고 바람.
염려 | 앞으로 생길 일에 대해 불안해하고 걱정함. 또는 그런 걱정.
기념 | 훌륭한 인물이나 특별한 일 등을 오래도록 잊지 않고 마음에 간직함.

7월 7일

24학년도 수능

존재 存在 (있을 존, 있을 재)

1 실제로 있음. 또는 그런 대상.
  예) 그 친구는 내게 특별한 **존재**이다.

프라기안은 13일 동안 100m를 이동하면서 황을 비롯한 알루미늄, 칼슘, 크롬, 철 등의 물질을 발견해 달에 물과 얼음의 **존재** 가능성도 보여줬어요.

출처: 『똑똑한 초등신문 2』 p.100

🔍 어휘력 확장하기

존 存 있을 존

생존 | 살아 있음. 또는 살아남음.
의존 | 자신의 힘으로 하지 못하고 다른 것의 도움을 받아 의지함.
공존 | 두 가지 이상의 현상이나 성질, 사물이 함께 존재함.
보존 | 중요한 것을 잘 보호하여 그대로 남김.

재 在 있을 재

재학 | 학교에 소속되어 있음.
현재 | 지금 이때.
실재 | 실제로 존재함.

6월 24일

24학년도 수능

이해하다 理解 (다스릴 이, 풀 해)

1. 무엇을 깨달아 알다. 또는 잘 알아서 받아들이다.
   - 예) 너의 설명을 듣고 원리를 **이해**했다.
2. 남의 형편을 알고 받아들이다.
   - 예) 제 사정을 봐서 한 번만 **이해**해 주세요.

뇌는 우리가 바깥세상을 **이해하고** 알아가는 과정에서 시각과 청각, 촉각, 미각 등 모든 감각을 총동원해요.

출처: 『똑똑한 초등신문 1』 p.80

유네스코는 경제를 생각하는 호주의 입장을 **이해하지만**, 호주가 자연유산 보호에 앞장서는 나라가 되기를 바란다고 했어요.

출처: 『똑똑한 초등신문 1』 p.195

🔍 어휘력 확장하기

이 理 다스릴 이

- **이유** | 어떠한 결과가 생기게 된 까닭이나 근거.
- **이론** | 어떤 이치나 지식을 논리적으로 일반화한 명제의 체계.

해 解 풀 해

- **해결** | 사건이나 문제, 일 등을 잘 처리해 끝을 냄.
- **해석** | 문장으로 표현된 내용을 이해하고 설명함.

7월 6일

24학년도 수능

조치 措置 (둘 조, 둘 치)

1 벌어진 사태에 대하여 적절한 대책을 세워서 행함. 또는 그 대책.
　예) 이번 사건에 대한 법적 **조치**가 필요하다.

> 중국의 이와 같은 희토류 수출 중단 **조치**에 일본은 체포했던 중국 선원을 곧바로 풀어 주겠다며 백기를 들었어요.
> 출처: 『똑똑한 초등신문 1』 p.174
>
> 관용의 나라라고 말하는 프랑스가 내린 이 금지령이 차별적인 **조치**는 아닌지 우리는 생각해 봐야 해요.
> 출처: 『똑똑한 초등신문 2』 p.97

🔍 어휘력 확장하기

조　措 둘 조

응급조치 | 긴급한 일에 대해 우선 급한 대로 처리하는 일.

치　置 둘 치

치중 | 어떠한 것을 특히 중요하게 여김.
위치 | 일정한 곳에 자리를 차지함. 또는 그 자리.
배치 | 사람이나 물건 등을 일정한 순서나 간격에 따라 벌여 놓음.
설치 | 기관이나 설비 등을 만들거나 제자리에 맞게 놓음.
방치 | 무관심하게 그대로 내버려 둠.

6월 25일

인용하다   引用 (끌 인, 쓸 용)

24학년도 수능

1 남의 말이나 글을 자신의 말이나 글 속에 끌어 쓰다.
  예) 검색한 자료를 **인용**할 때에는 출처를 밝혀야 한다.

어휘력 확장하기

인   引 끌 인

인상 | 물건값이나 월급, 요금 등을 올림.
인하 | 물건값이나 월급, 요금 등을 내림.
인출 | 은행 등의 금융 기관에서 맡겨 둔 돈을 찾음.
할인 | 정해진 가격에서 얼마를 뺌.
견인 | 물체를 끌어당김.

용   用 쓸 용

용건 | 해야 할 일.
용도 | 쓰이는 곳이나 목적.
사용 | 무엇을 필요한 일이나 기능에 맞게 씀.
이용 | 대상을 필요에 따라 이롭거나 쓸모가 있게 씀.
복용 | 약을 먹음.
신용 | 약속을 지킬 수 있다는 믿음. 또는 그 믿음의 정도.

7월 5일

24학년도 수능

제한하다 制限 (억제할 제, 한계 한)

1 일정한 한도를 정하거나 그 한도를 넘지 못하게 막다.
> 예) 도로 공사로 차량 통행을 **제한**했다.

인류가 탄소 배출량을 줄이고 지구 온도 상승을 1.5도 정도로 **제한한다고** 해도 이번 세기말까지 빙하의 절반이 녹을 것이라는 비관적인 연구 결과가 발표됐어요.

출처: 『똑똑한 초등신문 1』 p.180

🔍 어휘력 확장하기

제 制 억제할 제

제도 | 관습, 도덕, 법률 등의 규범이나 사회 구조의 체계.
제약 | 조건을 붙여 내용을 제한함. 또는 그 조건.

한 限 한계 한

한계 | 어떤 것이 실제로 일어나거나 영향을 미칠 수 있는 범위나 경계.
한도 | 그 이상을 넘지 않도록 정해진 정도나 범위.
한정 | 수량이나 범위 등을 제한하여 정함. 또는 그런 한도.
무한 | 수나 양, 크기, 공간이나 시간의 끝이나 제한이 없음.
기한 | 미리 정해 놓은 시기.
국한 | 범위나 한계를 일정한 부분이나 정도에 한정함.

6월 26일

24학년도 수능

인위적 人爲的 (사람 인, 할 위, 과녁 적)

1 자연적으로 만들어진 것이 아닌 사람의 힘으로 이루어진 (것).
   예) 나는 **인위적**인 향을 싫어한다.

> 이 캠페인에서는 탄소 흡수를 잘하고 다루기 쉬운 단일종 나무를 **인위적**으로 심었는데요, 이 때문에 생물다양성을 유지하기 어려워졌어요.
>
> 출처: 『똑똑한 초등신문 2』 p.176

🔍 어휘력 확장하기

인 人 사람 인

인간 | 생각을 하고 언어와 도구를 사용하며 사회를 이루어 사는 존재.
인구 | 정해진 지역에 살고 있는 사람의 수.
인기 | 어떤 대상에 쏠리는 많은 사람들의 높은 관심이나 좋아하는 마음.
인격 | 말이나 행동에 나타나는 한 사람의 전체적인 품격.
인류 | 전 세계의 모든 사람.

위 爲 할 위

위하다 | 무엇을 이롭게 하거나 도우려 하다.
행위 | 사람이 의지를 가지고 하는 짓.

7월 4일

24학년도 수능

제정되다 制定 (억제할 제, 정할 정)

1 법이나 제도 등이 만들어져서 정해지다.
  예) 새롭게 **제정**된 법을 시행한다.

한국에서도 2024년에 아동·청소년 개인정보보호법이 **제정될** 예정인데요, 이 법안이 통과되면 아동·청소년 시기에 업로드된 게시물 중 지우고 싶은 게시물의 삭제를 요청할 수 있어요.

출처: 『똑똑한 초등신문 2』 p.60

어휘력 확장하기

제 制 억제할 제

제약 | 조건을 붙여 내용을 제한함. 또는 그 조건.
제한 | 일정한 한도를 정하거나 그 한도를 넘지 못하게 막음.
규제 | 규칙이나 법에 의하여 개인이나 단체의 활동을 제한함.
억제 | 감정이나 욕망, 충동적 행동 등을 내리눌러서 일어나지 못하게 함.

정 定 정할 정

정착 | 일정한 곳에 자리를 잡아 머물러 삶.
정가 | 상품에 일정한 값을 매김. 또는 그 값.
정각 | 정해진 시각.

6월 27일

24학년도 수능

인지 認知 (알 인, 알 지)

1 어떤 사실을 확실히 그렇다고 여겨서 앎.
  예) 친구의 표정을 보고 상황 **인지**를 했다.

> 죽은 가족과 친구에 대해 애도하고 사람처럼 장례 의식을 치르는 동물은 영장류, 고래류, 코끼리처럼 **인지**능력이 뛰어나고 높은 수준의 사회성을 지닌 동물들이에요.
>
> 출처: 『똑똑한 초등신문 2』 p.85

🔍 어휘력 확장하기

인 認 알 인

인식 | 무엇을 분명히 알고 이해함.
인정 | 어떤 것이 확실하다고 여기거나 받아들임.
확인 | 틀림없이 그러한지를 알아보거나 인정함.
승인 | 어떤 일을 허락함.

지 知 알 지

지능 | 사물이나 상황을 이해하고 대처하는 지적인 적응 능력.
지식 | 어떤 대상에 대하여 배우거나 직접 경험하여 알게 된 내용.
지혜 | 삶의 이치와 옳고 그름을 잘 이해하고 판단하는 능력.
감지 | 느끼어 앎.

7월 3일

24학년도 수능

제외하다 除外 (덜 제, 바깥 외)

1 어떤 대상이나 셈에서 빼다.
  예) 이번 여행은 벌레가 많았던 것을 **제외**하고는 다 좋았다.

> 따라서 아바야 금지령은 이슬람 여학생들을 학교 활동에서 **제외하는** 결과로 이어질 수 있어요.
>
> 출처: 『똑똑한 초등신문 2』 p.96

🔍 어휘력 확장하기

제 除 덜 제

제거 | 없애 버림.
배제 | 받아들이거나 포함하지 않고 제외시켜 빼놓음.
삭제 | 없애거나 지움.

외 外 바깥 외

외국 | 자기 나라가 아닌 다른 나라.
외교 | 다른 나라와 정치적, 경제적, 문화적 관계를 맺는 일.
과외 | 학교 수업 이외에 따로 공부를 가르치거나 배움.
의외 | 전혀 예상하거나 생각하지 못한 것.
소외감 | 무리에 끼지 못하고 따돌림을 당해 멀어진 듯한 느낌.

6월 28일

24학년도 수능

일정하다 —定 (하나 일, 정할 정)

1 어느 정도 정해져 있는 양으로, 한결같다.
  예 양파를 **일정**한 크기로 썬다.

> 구상나무가 잘 자라려면 일 년 내 강수량이 **일정해야** 해요.
> 출처: 『똑똑한 초등신문 1』 p.192

 어휘력 확장하기

일 — 하나 일

일체 | 모든 것.
일치 | 비교되는 대상이 서로 다르지 않고 꼭 같거나 들어맞음.
일시적 | 짧은 기간 동안의.
일시불 | 돈을 한꺼번에 냄.
일관성 | 방법이나 태도가 처음부터 끝까지 꼭 같은 성질.

정 定 정할 정

정가 | 상품에 일정한 값을 매김. 또는 그 값.
정각 | 정해진 시각.

7월 2일

24학년도 수능

제공하다 提供 (끌 제, 이바지할 공)

1 무엇을 내주거나 가져다주다.
　예) 이 캠프에서는 식사를 무료로 **제공**한다.

> 가상현실은 특정한 장소나 상황을 3차원 컴퓨터 그래픽으로 구현하여 간접적으로 경험할 수 있는 환경을 **제공하는** 기술이에요.
>
> 출처: 『똑똑한 초등신문 2』 p.130

🔍 어휘력 확장하기

제　提 끌 제

제시 | 무엇을 하고자 하는 생각을 말이나 글로 나타내어 보임.
제출 | 어떤 안건이나 의견, 서류 등을 내놓음.
제안 | 의견이나 안건으로 내놓음.
제보 | 정보를 제공함.

공　供 이바지할 공

공급 | 요구나 필요에 따라 물건이나 돈 등을 제공함.
공양 | 어른에게 좋은 음식을 대접하며 잘 모시는 것.

6월 29일

24학년도 수능

적합하다 適合 (갈 적, 합할 합)

1 어떤 일이나 조건에 꼭 들어맞아 알맞다.
  예) 모두에서 **적합**한 장소를 찾기는 어렵다.

> 지구가 뜨거워지면서 모기들이 번식하기에 더 **적합**한 환경이 된 것이죠.
>
> 출처: 『똑똑한 초등신문 2』 p.184

🔍 어휘력 확장하기

적 適 갈 적

적응 | 어떠한 조건이나 환경에 익숙해지거나 알맞게 변화함.
적성 | 어떤 일에 알맞은 사람의 성격이나 능력.
적정 | 알맞고 바른 정도.

합 合 합할 합

합의 | 서로 의견이 일치함. 또는 그 의견.
혼합 | 여러 가지를 뒤섞어 한데 합함.
복합 | 두 가지 이상이 하나로 합침. 또는 두 가지 이상을 하나로 합침.
합격 | 시험, 검사, 심사 등을 통과함.

7월 1일

24학년도 수능

정책 政策 (정사 정, 꾀 책)

1 정치적인 목적을 이루기 위한 방법.
   예 정부가 새로운 **정책**을 발표하였다.

여러 나라 경제 **정책**에서 찾아볼 수 있어요. 정부와 중앙은행은 경기 변동이 발생하면 이를 원래대로 되돌려놓으려고 갖가지 **정책**을 성급하게 시행해요. 적절한 시기에 경제 개입을 한다면 좋겠지만, **정책** 효과가 나타나기 전에 섣부른 판단으로 개입해 버리면 대부분 부작용만 불러일으켜 샤워실의 바보 신세를 면하기는 어려워요.

출처: 『똑똑한 초등신문 2』 p.45

어휘력 확장하기

정 政 정사 정

정부 | 입법, 사법, 행정의 삼권을 포함하는 통치 기구.
정치 | 나라를 다스리는 일.
정당 | 정치적인 생각이 같은 사람들이 정치적 이상을 실현하기 위하여 모인 단체.

책 策 꾀 책

책략 | 어떤 일을 잘 꾸미거나 해결해 나가는 교묘한 방법.
방책 | 어떤 일을 해결할 방법과 꾀.

초성으로 맞히는 어휘 퀴즈

6월 30일

다음은 어떤 어휘의 뜻일까요? 어휘를 직접 써 보세요.

16 무엇을 가지려 하거나 원함. 또는 그런 마음. `ㅇㅁ` _____

17 나음과 못함. `ㅇㅇ` _____

18 어떤 행동이나 이론 등에서 일관되게 지켜야 하는 기본적인 규칙이나 법칙. `ㅇㅊ` _____

19 어떤 상태나 상황 등을 그대로 이어 나가다. `ㅇㅈㅎㄷ` _____

20 무엇을 하고자 생각하거나 계획하다. `ㅇㄷㅎㄷ` _____

21 어떠한 일, 행동, 현상 등에 숨어 있는 속뜻. `ㅇㅁ` _____

22 자신의 이익만을 생각하는 (것). `ㅇㄱㅈ` _____

23 한 국가나 사회, 개인이 가지고 있는 생각의 근본이 되는 사상. `ㅇㄴ` _____

24 무엇을 깨달아 알다. 또는 잘 알아서 받아들이다. `ㅇㅎㅎㄷ` _____

25 남의 말이나 글을 자신의 말이나 글 속에 끌어 쓰다. `ㅇㅇㅎㄷ` _____

26 자연적으로 만들어진 것이 아닌 사람의 힘으로 이루어진 (것). `ㅇㅇㅈ` _____

27 어떤 사실을 확실히 그렇다고 여겨서 앎. `ㅇㅈ` _____

28 어느 정도 정해져 있는 양으로, 한결같다. `ㅇㅈㅎㄷ` _____

29 어떤 일이나 조건에 꼭 들어맞아 알맞다. `ㅈㅎㅎㄷ` _____

여러분이 지난 14일 동안 매일 하나씩 공부했던 어휘들을 다시 보면서 정답을 확인해 보세요.

7월

1. 정책
2. 제공하다
3. 제외하다
4. 제정되다
5. 제한하다
6. 조치
7. 존재
8. 존중하다
9. 주장하다
10. 중계
11. 중단
12. 증가하다
13. 지적하다
14. 진행하다
15. 어휘 퀴즈
16. 집중하다
17. 차별
18. 처리하다
19. 체계
20. 체제
21. 초청하다
22. 추천하다
23. 충고하다
24. 침해하다
25. 탐구하다
26. 통합하다
27. 특징
28. 판단하다
29. 필연적
30. 한계
31. 어휘 퀴즈